M-C. THORNTON-JOLY.
. Le Prieuré .
. HERMANVILLE sur mer
14880- FRANCE

From Marc

roses

pour petits jardins, balcons et terrasses

Mark Mattock

Traduction et adaptation françaises
Philippe Bonduel et André Ève

BORDAS

ÉDITION ORIGINALE

Roses for the smaller garden

Publiée en 2001 par Quadrille Publishing Limited, Londres

ÉDITION FRANÇAISE

Traduction	Philippe Bonduel
	Avec la collaboration de Catherine Maillet
Adaptation française	**Philippe Bonduel et André Ève**
Direction éditoriale	Catherine Delprat
Coordination éditoriale	Agnès Dumoussaud assistée de Nathalie Le Stunff
Relecture et correction	Madeleine Biaujeaud
Couverture	Véronique Laporte

N° Éditeur 10092413 - (I) - 10

ISBN 2-04760062-6

Dépôt légal octobre 2002

Achevé d'imprimer en juin 2002 chez Kyodo, Singapour.

Sommaire

histoire de la rose

Les rosiers comptent parmi les plantes à fleurs le plus anciennement cultivées, avec un succès aussi universel que durable. Bien qu'ils soient originaires de l'hémisphère Nord, ils sont aujourd'hui répandus dans les jardins du monde entier, hémisphère Sud compris. Les livres qui traitent de leur histoire abondent et tous les spécialistes ont en réserve de fascinantes anecdotes. Nous avons pour notre part cherché dans cet ouvrage à mettre en pratique le savoir acquis par les grands jardiniers du passé ; ainsi proposons-nous un grand choix de variétés de rosiers qui seront particulièrement appréciées des jardiniers disposant de peu d'espace. Au fil des siècles, depuis leurs formes sauvages, les rosiers ont évolué, d'abord à travers de lentes mutations et adaptations ; assez récemment, grâce au génie mis en œuvre par les obtenteurs dans leurs hybridations, les rosiers sont devenus des plantes adaptées aux contraintes des petits jardins contemporains. Une histoire passionnante…

Les balbutiements

Dès avant l'invention de l'écriture, le rosier a été lié à des récits d'aventures. Les grandes civilisations des Proche- et Moyen-Orient n'existaient pas encore que des voyageurs rapportaient déjà de l'Est des exemplaires de cette plante mythique. Elle faisait souvent partie du bagage des mercenaires, qui les destinaient au jardin de leurs employeurs.

Nous savons que les Grecs la cultivaient. Des monnaies de Rhodes, datant de 800 av. J.-C., portent l'empreinte d'une fleur simple, épanouie, qu'on dit être une rose. La poétesse grecque Sappho, à la fin du VIIe siècle av. J.-C., fut la première à qualifier la rose de « reine des fleurs ». Théophraste (v. 372 – 287 av. J.-C.), dans sa classification des plantes de son temps, parle d'une rose comportant jusqu'à cent pétales, probablement *Rosa centifolia*, et de l'églantine, à cinq pétales, toujours présente.

À l'époque romaine, les roses devinrent symbole de richesse et de luxe. Les anciens Romains plantaient leurs rosiers dans des abris spéciaux, chauffés en hiver, pour avoir des fleurs en toute saison. Les roses figuraient souvent dans les couronnes offertes aux héros guerriers et leurs pétales jonchaient les salles de banquets. Dans les ruines d'Herculanum et de Pompéi, ensevelies par la dramatique éruption du Vésuve en 79 de notre ère, on trouve des villas entourées de modestes jardins à péristyle, très comparables à nos petits jardins contemporains. Des murs de clôture les isolaient du voisinage et le bassin central y était souvent cerné de plates-bandes où figuraient sans doute des rosiers, mêlés à d'autres fleurs en vogue. Les rosiers apparaissent également sur des fresques trouvées à Pompéi.

L'écrivain et naturaliste Pline, qui trouva la mort pendant l'éruption du Vésuve, fait référence à des rosiers dans son *Histoire naturelle*, sans doute des formes de ceux que l'on appelle aujourd'hui *Rosa alba, Rosa canina, Rosa centifolia, Rosa damascena* et *Rosa gallica*. Mais, après la chute de l'Empire romain, on ne trouve plus – ou peu – trace de rosiers dans la littérature jusqu'au roi franc Childebert, qui en 550 offrit une roseraie à son épouse. Nous savons cependant que les rosiers étaient cultivés à Byzance et en Perse. On suppose également que l'empereur Charlemagne en possédait dans ses jardins. Et, dès le premier siècle de notre ère, c'est dans les jardins des monastères et des riches demeures qu'ils survécurent en Occident.

La religion et le commerce eurent une grande influence sur la diffusion des rosiers dans les régions méditerranéennes de l'Europe méridionale et occidentale, où elle suivit plus ou moins l'expansion de l'islam, pour atteindre l'Espagne au VIIIe siècle. L'emploi médical d'eau de rose pour masquer le goût déplaisant des potions, d'huile de rose dans les cosmétiques et les parfums, et d'infusions de feuilles témoigne de leur existence durant tout le Moyen Âge. Aux XIIe et XIIIe siècles, les croisés firent connaître à l'Occident des variétés asiatiques rapportées de Terre sainte. Parmi celles-ci, *Rosa gallica* var. *officinalis*, dite rose « des apothicaires » en raison de son large emploi dans l'eau de rose médicinale.

À l'aube du XVIIe siècle, diverses espèces et variétés naturelles, ou « sports », furent décrites dans divers herbiers imprimés, en France et un peu partout en Europe. La plupart appartenaient aux groupes de rosiers appelés aujourd'hui Gallica, de Damas et Alba, aux pétales nombreux en rosette et au port buissonnant. Peu après, un groupe nouveau, comparable – les rosiers Centifolia, parfumés –, fut créé par les horticulteurs français et hollandais, qui commencèrent à faire des semis pour sélectionner les meilleures plantes obtenues. Vers la même époque, les colons européens du Nouveau Monde introduisirent dans les deux Amériques les rosiers cultivés en Europe, où ils firent parvenir des espèces locales, comme *Rosa virginiana* et *Rosa californica.* Pour autant qu'on le sache, jusqu'au XVIIIe siècle, les rosiers étaient

▸ *La tradition veut que* Rosa gallica *var.* officinalis, *ou rose des apothicaires, ait été rapportée à Provins par le croisé Thibault IV de Champagne, au Moyen Âge. La région devint le centre commercial de cette rose médicinale et le resta pendant six siècles.*

plantés en plates-bandes, conduits sur murs et clôtures avec d'autres plantes, mais sans place prééminente.

Le jardin du château de Malmaison, près de Paris, créé en 1799 pour la future impératrice Joséphine de Beauharnais, fut l'un des premiers jardins dédiés aux rosiers, sa passion. Son jardinier-rosiériste, André Dupont, sema des graines afin de sélectionner de nouvelles variétés. À la mort de Joséphine, en 1814, la collection de la Malmaison comportait plus de deux cent cinquante variétés plantées en massifs étroits, flanqués de sentiers permettant d'admirer de près chaque fleur. Nombre d'entre elles furent reproduites avec autant de précision que de talent par le grand peintre de cour Pierre Joseph Redouté. On trouve encore beaucoup de ces variétés dans nos jardins, malgré leur durée de floraison limitée et bien que ces arbustes soient peu adaptés aux petits espaces en raison de leur taille trop importante.

L'arrivée des rosiers de Chine

Pendant ce temps, les rosiers chinois étaient parvenus dans le sud de l'Europe par la route de la soie, qui partait d'Extrême-Orient pour atteindre l'Europe méridionale en passant par le Moyen-Orient, puis s'étaient répandus en Europe du Nord vers 1750. Nous savons qu'un clone de *Rosa* x *odorata* était cultivé à Kew, près de Londres, en 1769, et que *Rosa chinensis* var. *semperflorens* arriva en Europe vers cette époque. La remarquable caractéristique des rosiers de Chine, à la végétation plus grêle que celle des rosiers européens, était leur aptitude à refleurir tout l'été, qui fut décisive dans l'évolution des rosiers à partir de 1780. Faciles à reproduire, ils se retrouvèrent bientôt en France, en Angleterre et aux États-Unis.

Les frères Louis et Philippe Noisette, pépiniéristes l'un à Paris, l'autre à Charleston, en Caroline du Sud, contribuèrent à leur diffusion. Un riche planteur de riz de Charleston, John Champney, en croisa avec *Rosa moschata* et obtint l'hybride 'Champney's Pink Cluster'. Philippe Noisette récolta des graines de ce dernier et sélectionna parmi les semis obtenus un rosier blanc qu'il envoya à son frère Louis à Paris. Ainsi apparut le premier rosier de Noisette connu, peint par Redouté sous le nom de *Rosa noisettiana*. De ses descendants directs, nous cultivons encore 'Gloire de Dijon' et 'Madame Alfred Carrière', grimpants et parfumés.

Les rosiers de Chine, à l'odeur de thé, étaient trop frileux pour supporter le plein air en climat froid. Durant le XIXe siècle, en Angleterre, on les cultiva en serre où on les croisa avec des types rustiques comme les hybrides perpétuels, précurseurs des rosiers modernes. Ces derniers possédaient un port dressé et des boutons turbinés et, de surcroît, plusieurs offraient des fleurs cramoisies, inconnues jusqu'alors. Ces croisements devaient donner les hybrides de Thé.

En France, les rosiers de Chine avaient été hybridés différemment pour donner le groupe appelé rosiers Thé de Chine, soit en raison de leur parfum de thé frais cueilli, soit parce qu'ils arrivaient d'Orient dans des corbeilles à thé. Les rosiers Thé avaient beaucoup en commun avec les rosiers de Chine, avec leur port gracieux et leur sensibilité au froid. Leurs boutons souvent turbinés donnaient de jolies fleurs délicates et ils étaient remontants. Les rosiers de Portland et de Bourbon, tels que 'Madame Pierre Oger' et 'Zéphirine Drouhin', le rosier sans épines, sont tous issus des rosiers Thé.

Ce n'est que vers 1850 que la passion pour les roses commença à se développer pleinement. Les jardiniers de l'Angleterre victorienne furent les premiers à entreprendre de vastes croisements, suivis bientôt puis dépassés dans toute l'Europe et ailleurs. Les tendances étaient données par les modes du moment. À l'époque, on ne recherchait que la beauté des fleurs, sans considération pour le port. Mais les premiers hybrides de Thé étaient nouveaux – végétation dressée et trapue, boutons et fleurs turbinés, grandes feuilles luisantes – et remontants. Leur port détermina un nouvel emploi des rosiers, en massifs isolés. C'était justifié tant esthétiquement que d'un point de vue pratique, car ils demandaient les mêmes soins, fleurissaient à la même époque et s'associaient difficilement à d'autres fleurs.

◂ Rosa *'Adélaïde d'Orléans', hybride datant de 1826 de* Rosa sempervirens. *Ce rosier sarmenteux non remontant est toujours en culture (gravure de Victor, d'après un tableau de Redouté).*

Le développement des rosiers modernes

Dans les années 1900, l'apparition des jardins de taille réduite a représenté un tournant marquant pour l'architecture domestique du monde entier. Aujourd'hui, la plupart des maisons, surtout en ville, sont petites, tassées, et disposent seulement d'un espace extérieur limité. Or nous aimons vivre entourés de plantes à fleurs ; il n'est dès lors guère surprenant que l'on trouve des rosiers sous toutes leurs formes dans nos modestes espaces.

Les rosiers ont évolué avec le style et les dimensions de nos jardins. Jusqu'en 1900, alors que les massifs de rosiers ne comportaient que quelques hybrides perpétuels et les premiers hybrides de Thé, les puristes de l'Ancien comme du Nouveau Monde pensaient encore qu'il fallait les regrouper dans des massifs spéciaux, les mélanges étant réservés aux jardins populaires.

C'est ainsi que dans les vastes jardins des riches propriétés, en ville comme à la campagne, la place d'honneur au milieu des tapis de gazon était dévolue à de stricts massifs de rosiers, la seule fantaisie autorisée étant fournie par quelques rosiers tiges des mêmes variétés.

Les hybrides de Thé, au port érigé et aux fleurs turbinées, devinrent vite si populaires qu'ils éclipsèrent presque les rosiers anciens aux fleurs en coupe, plus touffus. Ces hybrides allaient être encore allégés pour s'adapter toujours mieux aux petits jardins. Leur gamme de couleurs s'étendit au-delà des roses, pourpres et blancs de toujours. En 1910 apparut la première rose jaune, suivie de toute une gamme de couleurs chaudes.

Dans les années 30, les hybrides de Thé furent encore affinés pour accentuer leur bouton pointu et leur fleur turbinée. La naissance de l'extraordinaire 'Madame A. Meilland' fut une étape décisive. Peu avant la guerre, son apparition dans les terrains d'essai de ses obtenteurs, Antoine et Francis Meilland, sur la Côte d'Azur, suscita un vif enthousiasme. Outre ses grosses fleurs et son large feuillage, sa vigueur n'avait pas d'équivalent chez les rosiers buissons. Ses obtenteurs expédièrent des greffons à leurs correspondants allemands, italiens et américains pour toucher un public plus vaste. Connu sous les noms de 'Peace' aux États-Unis, 'Gioia' en Allemagne et 'Gloria Dei' en Italie, le rosier dut attendre la fin de la guerre pour être consacré en France. Son baptême officiel n'eut lieu qu'en 1945, à la fin des hostilités, avec la naissance des Nations unies.

Parallèlement au développement des hybrides de Thé, les Polyanthas – jusqu'alors cultivés en serre – éveillèrent l'intérêt des hybrideurs, qui créèrent les rosiers pompons. Solides et rustiques, avec des bouquets de petites fleurs semblables à celles des rosiers sarmenteux, ils devinrent la coqueluche des plates-bandes. Au milieu des années 20, le remarquable obtenteur danois Svend Poulsen les croisa avec des hybrides de Thé pour obtenir des rosiers à fleurs groupées, mais plus grandes. Son rêve de créer une nouvelle race pour les massifs se réalisa dans les années 30, avec l'apparition des premières « roses Poulsen », qu'il dédia à ses filles Ann, Kirsten, Karen et Else. Il s'en créa d'autres ailleurs et ces rosiers devinrent les Polyanthas hybrides, que les obtenteurs travaillèrent pour que leurs fleurs se rapprochent de celles des hybrides de Thé.

Dans les années 50, avec l'arrivée en provenance des États-Unis de vedettes comme 'Fashion' et 'Spartan', ils ressemblaient si peu à leurs ancêtres que le nouveau nom de Floribunda leur fut universellement attribué.

Les hybrides de Thé et les Floribundas continuèrent un temps à être plantés en massifs spécifiques. Mais l'avènement des Jardineries aux États-Unis et leur extension en Europe, dans les années 60, incitèrent les jardiniers à les mêler aux plantes vivaces, désormais disponibles en godets. De nos jours, les mixed-borders, plates-bandes et potées sont devenus autant de destinations pour les rosiers.

◂ *C'est Théophraste, le « père de la botanique », qui décrivit le premier, vers 300 av. J.-C., la rose centfeuilles,* Rosa centifolia *(tableau de Redouté).*

Rosa mundi, aux fleurs panachées, est un sport de Rosa gallica var. officinalis (Rosa gallica 'Versicolor') et il arrive qu'on trouve sur la même plante les deux formes de fleurs.

En 1818, le Dr Roulet découvrit en Suisse un rosier qui par mutation naturelle avait pris la forme d'un arbrisseau de 5 cm de haut et poussait dans une jardinière ; il le baptisa *Rosa roulettii*. De ce modeste début, qui ne fut commercialisé qu'en 1922, naquit toute une industrie issue de cette plante et s'ensuivit l'engouement actuel pour les rosiers miniatures. En 1977, il existait plus de trois cent vingt-cinq rosiers miniatures. Vingt ans plus tard, les rosiers nains dits « de patio » apparurent en Grande-Bretagne. Nés du croisement des Floribundas les plus courts, ils sont destinés aux petits espaces.

Les rosiers grimpants

Les grimpants aussi ont évolué. Jusqu'au milieu du XXe siècle, il s'agissait de mutations de rosiers à massifs tels que 'Climbing Crimson Glory'. De même que les sarmenteux comme 'Dorothy Perkins', liane souple créée en 1901 par la maison américaine de Jackson Perkins, ils ne s'épanouissaient qu'en juin ; le reste de la saison servait à émettre de nouvelles pousses fleurissant l'année suivante. Mais, presque au moment de la naissance des Floribundas, vers 1950, on commença à voir apparaître des rosiers grimpants remontants. Le premier fut le célèbre 'New Dawn', qui servit de parent à tous les grimpants remontants qui suivirent. On dit que c'est une mutation de 'Dr W. Van Fleet', grand sarmenteux non remontant, comparable en tout point, saison de floraison exceptée.

Vers la fin des années 80 sont apparus les grimpants miniatures, destinés à garnir les clôtures dans les espaces restreints. Leurs feuilles et fleurs sont parfaitement proportionnées à leur taille – leurs inflorescences et leur feuillage sont réduits, tout comme leur hauteur – et ils s'épanouissent du haut en bas. Le premier fut 'Laura Ford', jaune d'or vif, haut de 2 m et large de 1 m. Ces grimpants miniatures se sont révélés parfaits dans les petits jardins, sur pylônes et barrières.

Les rosiers buissons

Les rosiers buissons modernes et les hybrides de Moschata, à la remontance marquée, furent créés au XXe siècle pour les jardins modernes, où ils sont plantés en mixed-borders ou même en haies. Les hybrides de Moschata portent de grands bouquets de fleurs doubles sur de hautes tiges élégantes et évoquent un Floribunda plus raffiné. Les meilleurs furent obtenus entre 1900 et 1930 par le révérend Pemberton, dans l'Essex, en Angleterre. Issue de croisements entre des hybrides de Thé ou des Floribundas et une vaste gamme de rosiers sauvages, une gamme variée de rosiers buissons à pousse vigoureuse et à fleurs modernes est apparue. Les plus connus ont été développés par David Austin sous le nom de roses anglaises.

L'arrivée des remarquables hybrides de Thé, au début du XXe siècle, sonna presque le glas de nombreux rosiers anciens, très peu restant offerts dans les catalogues. Quelques amateurs éclairés, en France et en Angleterre, unirent cependant leurs efforts pour conserver dans leurs jardins ceux qui restaient. Ce regain d'intérêt gagna le monde entier à partir des années 50. Les roses anglaises récentes, apparues vers 1970, combinent le charme des vieilles roses avec les qualités des hybrides modernes : grosses fleurs pleines, couleurs actuelles, parfums capiteux et, souvent, résistance aux maladies et port trapu. En France, les mérites vont aux obtentions françaises de ce style, et particulièrement aux gammes Meilland, irréprochables. D'allure libre, naturelle, ils sont parfaits en mixed-borders.

Dans le même temps, le succès des Floribundas, buissonnants et florifères, et la demande d'une plante couvrante qui supprime les mauvaises herbes annuelles déterminèrent la récente apparition de la gamme des rosiers couvre-sols, nés en Allemagne. Non seulement ils occupent parfaitement le terrain, mais ils se prêtent à la culture en potée. Ils sont issus de *Rosa wichurana*, rosier botanique au port semi-étalé, dont ils tirent leur caractère rampant, et des Floribundas, qui leur ont légué leur floribondité.

Classification des rosiers

Il existe des centaines de variétés de rosiers, qui occuperaient trop d'espace dans cet ouvrage comme dans nos jardins. Leur influence sur le développement des rosiers modernes est cependant importante. La définition des types de rosiers qui suit est le fruit de nombreuses délibérations de la Fédération mondiale des sociétés de roses, tentant de mettre un peu d'ordre dans cette famille complexe.

Les rosiers modernes

Il s'agit là des rosiers hybrides sans ressemblance marquée avec les espèces sauvages (ou botaniques) et non inclus dans une classification reconnue avant l'arrivée des hybrides de Thé. Y figurent des formes non grimpantes et grimpantes.

Les rosiers modernes non grimpants

Arbustes aux tiges tenant seules. Ils sont divisés en rosiers remontants, à longue saison de floraison avec un regain tardif marqué, et rosiers non remontants, dont la saison est limitée au printemps ou à l'été avec, au mieux, quelques fleurs en automne.

Les non-grimpants remontants sont de loin les plus nombreux. Ils comprennent les catégories suivantes :

Les rosiers arbustes sont des plantes d'ordinaire plus hautes et/ou plus larges que les rosiers buissons ; ce sont de bonnes plantes à isoler. Les couvre-sols appartiennent à cette catégorie.

Les rosiers buissons sont des variétés peu élevées, excellents regroupés.

Les hybrides de Thé donnent d'ordinaire des fleurs moyennes à grandes ; les pétales des variétés doubles ou semi-doubles se chevauchent et forment un cœur conique, ovoïde ou autre, mais toujours géométrique ; les fleurs simples sont étalées et leurs boutons, réguliers. Leurs longues tiges en font de bonnes fleurs à couper, avec ou sans leurs boutons latéraux.

Les Floribundas se distinguent avant tout par leurs masses de fleurs groupées en grappes, en bouquets ou sur des tiges multiples. Elles peuvent être simples, semi-doubles ou doubles.

Les Polyanthas portent de petites fleurs doubles, généralement en rosette, et un feuillage reconnaissable, aux folioles plus petites que chez les Floribundas.

Les miniatures donnent des fleurs, feuilles et tiges en… miniature !

Les rosiers modernes grimpants

Parmi eux figurent des plantes grimpantes ou sarmenteuses, aux longues tiges sinueuses ou arquées, qui demandent un support. Eux aussi sont divisés en non-remontants, à la floraison limitée au printemps ou à l'été avec, au mieux, une légère remontée en automne, et en remontants, à saison de floraison prolongée, ou avec une vague tardive marquée. Ces deux groupes se subdivisent en :

- **rosiers sarmenteux,** à tiges souples ;
- **rosiers grimpants,** aux tiges plus raides que les sarmenteux ;
- **rosiers grimpants miniatures,** à toutes petites fleurs et feuilles.

Chacune de ces catégories peut être encore subdivisée en sous-catégories à fleurs doubles (plus de vingt pétales), semi-doubles (huit à vingt pétales) et simples (moins de huit pétales).

Les rosiers anciens

Ainsi sont qualifiés les rosiers déjà rangés en catégories reconnues avant l'introduction des hybrides de Thé. Ce classement s'appuie fortement sur des rapports génétiques et botaniques supposés et, en général, ne concorde pas avec la classification moderne, fondée surtout sur un emploi horticole. Ils sont divisés en non-grimpants et grimpants.

Les rosiers anciens non grimpants

Ils se passent de support et comprennent les catégories suivantes :

Alba Rosiers issus de *Rosa alba*.

Bourbon Rosiers montrant l'influence de *Rosa* x *bourboniana*, hybride probable entre un rosier de Chine et un Damas.

Boursault Rosiers censés montrer les caractères de *Rosa chinensis* et *Rosa pendulina*.

Chine Rosiers issus de *Rosa chinensis*.

Damas Rosiers présentant des caractères de *Rosa damascena*.

Galliques Rosiers présentant des caractères de *Rosa gallica*.

Hybrides remontants Rosiers mêlant les caractères des rosiers de Bourbon et de Chine ou de Damas.

Moussus Rosiers dont les sépales et/ou les pédicelles sont dotés d'excroissances mousseuses.

Portland Rosiers apparentés à 'Duchesse de Portland', hybride ayant pour ancêtre les roses de Damas et de Chine.

Centfeuilles Rosiers issus de *Rosa centifolia*.

Rubiginosa Rosiers présentant des caractères de *Rosa eglanteria* (syn. *Rosa rubiginosa*).

Rosiers Thé Rosiers montrant l'influence de *Rosa* x *odorata*, hybride supposé entre *Rosa chinensis* et *Rosa gigantea*.

Les rosiers anciens grimpants

Plantes grimpantes ou sarmenteuses aux longues tiges rampantes ou arquées demandant d'ordinaire un support. Ils se répartissent comme suit :

Arvensis Rosiers présentant des caractères de *Rosa arvensis*.

Boursault Rosiers censés montrer les caractères de *Rosa chinensis* et *Rosa pendulina*.

Thé grimpants Semblables aux rosiers Thé, mais grimpants.

Noisette Rosiers montrant l'influence de *Rosa* x *noisettiana*, hybride supposé entre *Rosa chinensis* et *Rosa moschata*.

Sempervirens Rosiers montrant l'influence de *Rosa sempervirens*.

Les rosiers botaniques

Parmi eux sont classés les rosiers sauvages et leurs variétés ou hybrides (à fleurs simples ou doubles) offrant une forte ressemblance avec le type. Ils sont divisés, comme les précédents, en non-grimpants et grimpants.

des rosiers pour petits espaces

Les rosiers comptent parmi les plantes les plus faciles à cultiver. Bien nourris et correctement entretenus, ils poussent dans tous les sols et donnent des années de plaisir. Si petit ou biscornu que soit votre jardin, qu'il soit entouré de murs, de palissades ou de haies, vous trouverez toujours un rosier adapté à la situation qui vous apportera de la couleur tout l'été. Si vous avez un coin ingrat, un rosier buisson viendra l'animer ; pour donner de la hauteur à une plate-bande, un rosier tige fera l'affaire. Les grimpants donnent un décor vertical ; pour les grandes hauteurs, quelques sarmenteux classiques, bannis des murs et des clôtures en raison de la brièveté de leur floraison, viendront enlacer de vieux arbres.

Faites votre choix

▲ *Le rosier grimpant 'Compassion', conduit sur un treillis de séparation où il fleurit à profusion, encadre le tableau offert par les formes géométriques des buis taillés et la mixed-border où trône le Floribunda 'Iceberg', une valeur sûre.*

Que vous souhaitiez planter un seul rosier ou tout un groupe, assurez-vous de faire un choix que vous ne regretterez pas par la suite. Posez-vous tout d'abord les bonnes questions sur ce que vous attendez de cette plantation.

Souhaitez-vous garnir un mur ou une palissade ? Quelle sera l'exposition ? Face au nord ou à l'est, votre rosier sera longtemps à l'ombre dans la journée et vous devrez choisir une variété très florifère, telle que 'Compassion', rose pâle, ou 'Penny Lane', champagne, qui fleurissent bien avec peu de soleil. Quelle couleur préférez-vous ? Et, si vous avez une couleur favorite, quel effet produira-t-elle avec en arrière-plan un mur de brique ou de pierre ? S'harmonisera-t-elle avec la peinture de la palissade ? S'accordera-t-elle à celle des plantes voisines, ou au ton de la terre cuite, s'il s'agit d'un rosier en pot ? Si vos rosiers doivent prendre place sur une terrasse ou dans une cour, pensez également à la couleur dominante alentour, et même à celle des rideaux, à l'intérieur, si ceux-ci encadrent la vue sur le jardin. Quelle est la taille du mur à couvrir ? Tenez compte de la taille de la plante lorsqu'elle sera adulte et, si le mur est haut, optez pour une variété puissante, par exemple 'Summer Wine' ou 'Madame Alfred Carrière'.

Le rosier se trouvera-t-il en mixed-border ou en massif ? Comment choisir entre les rosiers à grandes fleurs (hybrides de Thé), ceux à fleurs en bouquets (Floribunda), tous érigés, et les rosiers buissons, plus trapus ? Quelle est la couleur des plantes voisines ? Quelle est la bonne hauteur pour l'ensemble de la composition ? Il est important de bien connaître les dimensions de votre plante lorsqu'elle sera adulte et vivement déconseillé d'installer une variété élancée au bord d'une allée fréquentée, alors qu'elle conviendra parfaitement à l'arrière-plan. Il en va de même, bien sûr, d'un large buisson : faites attention à son futur étalement, car vous n'avez sûrement pas envie de vous frotter à un feuillage trempé chaque fois que vous passerez à proximité quand il pleuvra. Au milieu d'un massif, en revanche, des buissons comme 'Charles Notcutt' ou 'Lavender Dream' feront bon effet. Les fleurs sont-elles destinées aux bouquets ? Dans ce cas, quelle est la couleur de votre ameublement ? N'oubliez pas que les meilleures roses à couper ont des tiges longues et peu épineuses.

Les rosiers sont parfaits lorsqu'ils sont associés à d'autres plantes d'ornement ; on peut alors tirer parti du mélange des matières et des formes. Les meilleures associations vous seront proposées plus loin dans un chapitre spécifique (voir page 46). Une fois défini le type de rosier que vous souhaitez, puis la couleur des fleurs et du feuillage ainsi que l'encombrement, attelez-vous à la plaisante tâche du choix précis de la (ou les) variété(s) adaptée(s) à votre jardin.

▼ Cette mixed-border en lisière de terrain montre un bel usage du rosier sarmenteux 'Albéric Barbier', associé à d'autres rosiers et arbustes. Bien que les sarmenteux ne soient pas le plus indiqués pour les petits jardins, celui-ci donne une hauteur bienvenue.

Dans un espace restreint

Dans un jardin de taille réduite, chaque plante paie au centuple la place qui lui est allouée, et c'est particulièrement vrai pour les rosiers. Il est facile, devant des photos de belles roses, de rêver qu'on accueille chez soi des merveilles comme 'Nevada' ou 'Frühlingsgold' (deux rosiers buissons). La simplicité de leurs grandes fleurs simples, étalées, a de quoi séduire, mais vous découvrirez bientôt qu'ils atteignent 2,50 m de haut et qu'ils vont tout écraser dans votre petite bordure. De surcroît, aucun n'offrira la floraison continue qu'exige un petit jardin.

Ce n'est pas pour autant que vous serez condamné à ne cultiver que les plus petits Floribundas, connus comme rosiers « miniatures ». Mais mieux vaudra sans doute privilégier des rosiers au port net, peu exubérants, et qui n'envahiront pas tout. Il est également sage de retenir des rosiers résistant aux maladies, les terrains urbains manquant souvent d'air et favorisant l'apparition des pucerons et les affections comme l'oïdium. Pour ce qui est de la garniture des murs et clôtures, vous prendrez plutôt des grimpants ou des grimpants miniatures que des sarmenteux, trop mous, trop flous, et ne fleurissant qu'une fois. Une longue floraison ou une bonne remontance sont primordiales, les rosiers n'ayant que peu d'intérêt quand ils sont défleuris. Des rosiers à beaux fruits sont une autre possibilité, car ils prolongent l'attrait des arbustes jusqu'en automne ; rappelez-vous que la plupart de ces derniers ont plutôt des fleurs simples.

Plus un rosier a de qualités ornementales, plus il a sa place dans un petit jardin. S'il possède un beau feuillage en plus d'une jolie floraison, c'est un atout supplémentaire quand il est fané. Certains hybrides de Thé, tels 'Royal

▲ *L'hybride de Thé 'Just Joey' fut élu en 1994 « rosier préféré dans le monde » au cours d'une convention internationale en Nouvelle-Zélande. Il a ici pour compagnons une lavande bien colorée et un tapis d'eschscholtzias.*

William' et 'Just Joey', émettent un très beau feuillage juvénile bronze, et *Rosa glauca* (syn. *Rosa rubrifolia*) porte des feuilles d'un superbe mauve fumé, bien accordées à ses églantines roses et à ses fruits automnaux. Les parfums sont capitaux pour qui fréquente un petit jardin, particulièrement durant les soirées d'été, les senteurs étant condensées dans les espaces restreints. Entre un rosier parfumé et un inodore, préférez donc le premier. La légende selon laquelle « les roses modernes n'ont pas d'odeur » est

▲ *Le rosier des apothicaires,* Rosa gallica *var.* officinalis, *peut atteindre 1,50 m de haut ; dans cette bordure étroite, il est maintenu court par une taille de tout son vieux bois dès qu'il fane.*

◀ *Le rosier de Bourbon 'Zéphirine Drouhin' est palissé serré pour contraster avec le grimpant blanc. Tous deux donnent de la hauteur aux massifs qui flanquent l'escalier tout en masquant la vue extérieure, banale.*

sans fondement ; des auteurs se plaignaient déjà de cela vers 1880 ; il est vrai que certaines variétés sont inodores, mais les obtenteurs modernes ont à cœur de conserver et d'exalter autant que possible ce plaisant caractère.

Savoir acheter

Une fois retenus les rosiers qu'il vous faut, reste à choisir un bon fournisseur. Interrogez d'autres jardiniers et partez à la chasse aux catalogues : un catalogue bien fait en dit long sur la pépinière. Les meilleurs fournisseurs offrent une garantie et un service après-vente, mais rien n'empêche de chiner. Si vous voulez juger sur pièces un rosier précis avant de vous décider à l'achat, commencez par visiter les expositions et jardins de la région et regardez ce qu'offrent vos pépinières et Jardineries locales.

▲ *Le feuillage pourpre argenté et les fruits de* Rosa glauca *peuvent être employés pour souligner les couleurs d'autres plantes à fleurs. Ce rosier est ici associé à une lavatère en arbre* (Lavatera olbia *'Rosea'*).

Les rosiers sont disponibles en diverses présentations, suivant les disponibilités et la saison.

À racines nues Ces plantes sont issues de pépinière et viennent juste d'être arrachées en plein champ, où elles sont greffées sur églantier ; elles sont soit expédiées, soit emportées de la pépinière même à la saison classique de plantation, durant les mois d'hiver, quand elles sont au repos.

En conteneur D'abord multipliés et élevés en pleine terre, ces rosiers sont arrachés puis replantés en pots pour être disponibles toute l'année dans les Jardineries. Certains producteurs préparent des rosiers en les greffant directement en pots sur leurs propres racines.

Emballés Ces rosiers, issus de pépinière, sont arrachés tôt en saison, parfois avant leur période de repos, pour être vendus dans des sacs en plastique après un bain dans de la cire censée les protéger de la chaleur des magasins. Mais les magasins sont tout de même beaucoup trop chauffés pour la santé des rosiers, et il est préférable d'éviter cette présentation.

Rosiers à cultiver en pots

Parmi les rosiers décrits p. 50 à 145, certains sont adaptés à la culture en pots. En voici quelques-uns, particulièrement recommandés ; pour une description complète, reportez-vous aux pages indiquées.

Ballerina, p. 129
Berkshire, p. 116
Emera, p. 112
The Fairy, p. 117
Frau Dagmar Hastrup, p. 129
Gwent, p. 115
Iceberg, p. 84
Opalia, p. 111
Pyrénées, p. 114
Swan Lake, p. 95
Vent d'été, p. 115

▶ *Dans ce jardin semi-classique, les rosiers placés symétriquement adoucissent le tracé. La couleur tendre du grimpant 'New Dawn' encadre la vue, l'escalier étant bordé d'hybrides de Moschata et les massifs garnis d'hybrides de Thé de couleur rose.*

Le plan des massifs et bordures

La forme, la taille et l'emplacement des massifs et bordures dépendent pour une bonne part du tracé de votre jardin et de son style. Il peut aussi bien comporter une vaste pelouse, avec des bordures en lisière, sur un fond de murs ou de palissades, qu'un dallage parsemé de massifs.

Par conséquent peut-être choisirez-vous un dessin régulier, avec des plates-bandes symétriques emplies de plantes bien alignées, ou du moins trapues et nettes, ou bien au contraire préférerez-vous un massif libre ou asymétrique, équilibré par le savant agencement de plantes aux formes, tailles et couleurs variées.

Le massif isolé

Ce type de massif est une zone plantée visible de tous côtés – depuis une allée, une pelouse, un dallage – ; il doit donc être beau sur toutes ses faces. Ce principe est apparu au XIXe siècle, avec des massifs géométriques découpés dans le gazon. Plus les jardiniers étaient nombreux, plus le motif était complexe, et la découpe des bords à elle seule demandait beaucoup de travail et de temps. Pour un massif contemporain, adoptez un motif simple – cercle, ellipse, carré ou rectangle – pour alléger le travail. L'emplacement déterminera la surface du massif, bien sûr, mais, si c'est possible, veillez à ce que les bonnes distances de plantation soient respectées (voir page 150). Évitez de créer un massif trop profond ou trop large ; quand vous travaillerez au milieu des rosiers, vous aurez besoin d'atteindre le cœur du massif sans difficulté. Si vous voulez absolument un grand massif, facilitez-en l'accès par des pas japonais bien placés.

▲ *Des rosiers tiges ont été plantés plus serré que la normale sur un tapis de superbes lavandes. Ils remplacent les plantes grimpantes pour habiller le mur dans cette sobre composition contemporaine.*

◀ *Originale variation sur le thème de la lisière de massif en buis taillé, cette topiaire au dessin géométrique est joliment garnie de* Rosa glauca. *Les petites fleurs sont suivies d'une belle masse de brillantes baies rouges.*

Au XIXe siècle, les bordures devaient être tracées bien nettement dans le gazon et les massifs, limités par une haie basse, d'ordinaire en buis *(Buxus sempervirens)* ou en lavande *(Lavandula)*. Ces massifs bordés existent encore dans les jardins classiques réguliers, mais il y a eu des innovations depuis. On trouve désormais des massifs mélangés, cernés de rosiers miniatures modernes : des Floribundas comme 'Festival', 'Mandarin' ou 'Queen Mother', ou des « grands » miniatures, atteignant 45 cm de haut, tels que 'Baby Masquerade' ou 'Royal Salute'. On emploie également des rosiers couvre-sols dans ces bordures. L'utilisation de ces derniers dans les coins biscornus d'un massif irrégulier découragera les visiteurs, ou le facteur, de prendre cet angle du massif pour un raccourci. Si une allée longe le massif et que celui-ci n'ait pas de bordure, laissez au moins 45 cm entre l'allée et les premiers rosiers. Évitez de planter des variétés à massif trop ventrues parmi ceux-ci, elles risqueraient de déborder sur l'allée ou la pelouse et d'accrocher les vêtements ou la tondeuse.

Plus votre jardin est petit, moins il est recommandé de ne planter que des rosiers dans les massifs. Parsemez-les de plantes printanières basses, telles que des bulbes, pour prendre la relève hors des périodes de floraison des rosiers. Quand vous établirez le dessin général de votre plantation et chercherez des sujets élevés, n'oubliez pas que la plupart des rosiers anciens ne fleurissent que brièvement en juin, sur le bois d'un an, et qu'ils supportent mal la taille. À l'opposé, les rosiers buissons modernes, roses anglaises comprises, fleurissent sur le bois de l'année et peuvent donc être taillés à votre convenance.

Si vous mêlez divers types de rosiers – des formes pour massifs tels des Floribundas et hybrides de Thé, et des rosiers buissons plus vigoureux –, pensez que chacun demande un espace différent et qu'une plantation en rangs bien sages est exclue. Prenez autant de rosiers remontants que possible pour que la floraison dure plus que quelques semaines en juin. Recherchez un équilibre visuel en composant votre plantation et gardez-le en tête quand vous marquez les emplacements. Si vous ne tenez pas à un effet monochrome, panachez les variétés en bosquets de formes diverses. Mais, attention, un équilibre trop parfait est lassant pour l'œil, et l'asymétrie donnera du piment à la composition. Vous pourrez par exemple excentrer la plus haute des plantes pour échapper à un effet de pyramide régulière et fade.

En sélectionnant les pensionnaires d'un massif isolé, vérifiez que vos choix s'accordent avec l'emplacement et la taille des plantes du voisinage et de l'arrière-plan. Si belles que soient leurs fleurs, bannissez les grands rosiers buissons d'un petit massif, voire d'un petit jardin, où ils seront disproportionnés. Pour donner de la hauteur à un massif trop « plat », vous pourrez accueillir des rosiers tiges, mais avec circonspection (voir page 34). En règle générale, plantez les miniatures les plus courts et les couvre-sols en bordure de massif et au milieu du massif, les hybrides de Thé et les Floribundas, qui sont plus hauts. Respectez les distances de plantation (voir page 150) pour être certain que vos rosiers ne se feront pas d'ombre.

La mixed-border

La plupart des plates-bandes sont conçues pour être vues de face ou de côté, avec, devant, une allée, une pelouse ou un dallage et, derrière, un décor plus élevé. Celui-ci – mur, palissade ou haie – sert de faire-valoir à des plantes plus courtes. Les plantations peuvent y être plus facilement asymétriques que dans les massifs isolés. La plupart des mixed-borders actuelles sont des variétés cousines de la bordure herbacée à l'ancienne, qui exigeait un désherbage, des divisions et replantations répétées et astreignantes. Certaines possèdent encore ces bonnes vieilles vivaces en touffe qui étaient si souvent associées aux rosiers buissons. Nous verrons en détail plus loin les bons compagnons pour vos rosiers (voir page 46).

Dans une bordure de rosiers, il y a matière, pourvu que la place le permette, à installer des rosiers de types différents. Formes, couleurs et tailles peuvent être assemblées harmonieusement ou, au contraire, délibérément contrastées. Nous l'avons déjà dit : il faut faire durer la saison le plus possible. Elle peut débuter avec des rosiers précoces comme 'Canary Bird', aux jolies églantines jaunes. Avec 1,50 m de haut, il n'est pas trop grand pour un petit jardin et son feuillage reste beau tout l'été. Un tel rosier annoncera élégamment la débauche de couleurs qui va suivre : rosiers buissons de juin, Floribundas et hybrides de Thé estivaux et automnaux, sans oublier les miniatures et couvre-sols, auxquels s'ajoutent les rosiers buissons remontants, qui dureront jusqu'au cœur de l'automne. Si vous avez suffisamment d'espace, vous pourrez y ajouter quelques rosiers botaniques et hybrides précoces dotés de beaux fruits, tels *Rosa* 'Geranium' (sélection de *Rosa moyesii*), *Rosa rugosa* ou l'un de ses hybrides, aux fruits tardifs colorant l'arrière-automne et même l'hiver, lorsque les oiseaux les épargnent.

Le rosier de Bourbon 'Zéphirine Drouhin' peut être cultivé librement en massif ou conduit sur un mur comme un grimpant (ci-dessous à gauche).

Témoignages de l'adaptabilité des rosiers aux mixed-borders, le rosier buisson 'Charles de Mills' et la rose anglaise 'Heritage', mêlés à l'hybride de Thé 'Silver Jubilee', sont bien mis en valeur par les vivaces herbacées (ci-dessous à droite).

◂ *Le rosier buisson moderne 'Ballerina', ici répété dans un massif de pensées et de gypsophiles, est décoratif pendant une longue période. Ses fleurettes rose tendre éclosent jusqu'aux gelées, après quoi il se couvre de bouquets de petits fruits ronds.*

L'agencement des diverses variétés dépend bien évidemment de l'effet souhaité. Avec de l'espace, par exemple, les hybrides de *Rosa moschata* comme 'Cornelia' donneront de belles structures souples, superbes lorsqu'elles sont accompagnées de couvre-sols comme 'Avon', 'Berkshire' ou 'St. Tiggywinkle'. Une variété plus élancée telle 'Kordes' Robusta' sera bien mise en relief par un Floribunda touffu comme 'Anna Livia'. Dans une plate-bande appuyée contre un mur, garnissez ce dernier d'un grimpant pour donner un beau fond : 'Compassion' s'associera à 'Cornelia', 'Golden Showers' contrastera efficacement avec 'Kordes' Robusta'. Faute de mur ou de palissade pour des grimpants, *Rosa moyesii* fournira un fond élancé et aéré.

La taille de la plate-bande a une incidence considérable sur l'aspect des rosiers retenus et sur l'effet esthétique qu'ils produisent, même lorsqu'ils sont vus de profil, depuis l'intérieur de la maison. Plus la mixed-border est grande, plus les bosquets de rosiers employés doivent être gros pour que l'effet soit réussi. Leur répétition donne une sensation d'équilibre. Plantez-les toujours en nombre impair. La forme floue des rosiers brise les lignes rigides et les contours trop stricts, surtout si le jardin est long et étroit. Les rosiers tiges donneront de la hauteur ou casseront le rythme au cœur d'une plate-bande. Pour échapper à la monotonie qu'ils peuvent toutefois provoquer s'ils sont plantés en ligne, installez sur des pylônes ou des poteaux des grimpants courts qui donneront une ligne verticale. Choisissez des rosiers miniatures ou un grimpant restreint, comme 'Altissimo', 'Grand Hôtel' ou 'Handel'. Alternez les variétés non remontantes et remontantes pour éviter les « trous » en automne.

Les rosiers buissons

Quand les hybrides de Thé et les Floribundas annoncèrent l'arrivée de rosiers à massifs, d'emploi plus facile, les rosiers buissons non remontants se firent moins omniprésents. Ils ont néanmoins connu un regain d'intérêt ces dernières années, surtout depuis qu'il en existe de remontants, fruits de croisements avec des rosiers buissons modernes. Certaines variétés peuvent servir de haies pour clôturer ou cloisonner un jardin (voir page 41), mais ces rosiers conviennent à merveille à d'autres coins du petit jardin contemporain. On a également vu apparaître au fil du temps des rosiers inclassables, rangés commercialement sous le nom de buissons modernes au vu de leur silhouette et de leur végétation. Il s'agit, en gros, de variétés remontantes qui ne demandent qu'une taille annuelle de mise en forme.

Quelques rosiers anciens peuvent aussi être isolés dans les bordures pour leur beauté, même s'ils ne fleurissent que brièvement. Le 'Moussu Nuits de Young', marron-pourpre et plus court que ses frères, apporte au jardin moderne une couleur inattendue. *Rosa gallica* 'Versicolor', plus connue sous le nom de 'Rosa Mundi', est une classique variété panachée. Vous la contiendrez en coupant ras les vieilles tiges florifères en automne. La plupart des plus vieux Rugosas sont trop encombrants, mais la variété 'Frau Dagmar Hastrup' (voir page 133), plutôt réduite, est très utile en haie, ou isolée en mixed-border. Il en va de même des récents Rugosas hybrides allemands, tels que 'Kordes' Robusta' et 'The Compass'. Parmi les classiques appréciés, on trouve également les Portland, comme 'Rose de Rescht' et 'Jacques Cartier', qui marient le charme des rosiers anciens, trop grands pour les espaces limités, avec un développement réduit et une bonne remontance. Avant d'installer un rosier buisson, n'oubliez pas de vérifier sa taille adulte. Une plante courte (1 m de haut environ) demande moins de place qu'une plante moyenne (voir Distances de plantation, page 150). Réduisez l'écart si vous plantez un groupe d'une même variété, afin que les rosiers s'entrecroisent et forment à terme un bosquet dense.

Les obtenteurs ont franchi un nouveau pas ces dernières années. L'idée de croiser des rosiers anciens avec des hybrides de Thé et des Floribundas est due à l'Anglais David Austin, qui dénomma ses sélections « roses anglaises ». Parmi ces dernières, d'excellentes variétés marient certains caractères des rosiers anciens et modernes. Les fleurs aux nombreux pétales, aux douces couleurs et au parfum suave des premiers y ont gagné des couleurs nouvelles, la remontance et des modes de végétation variés. Si certains sont trop grands pour les plates-bandes, conduisez-les sur des pylônes ou des palissades. Pour cet usage, les meilleures variétés sont 'Gertrude Jekyll' (l'une des plus parfumées qui soient), 'Graham Thomas' et 'The Pilgrim'.

L'emploi des miniatures

L'industrie des rosiers pour potées s'est beaucoup développée récemment en Europe. L'importante firme danoise Poulsen (célèbre pour ses Polyanthas hybrides) les produit sous les noms commerciaux de « Parade » ou « Hit », avec des variétés comme 'Pink Hit', 'Sun Hit' et 'Velvet Hit'. Ils ont induit la création, ailleurs en Europe, d'un groupe plus robuste, pour pleine terre, les rosiers miniatures, très marqués par les rosiers à fleurs en bouquets dont ils sont issus. Ces arbrisseaux de 40 à 50 cm de haut ont vite connu le succès, surtout dans les petits jardins où l'on peut les planter en potées, ce qui les rend parfaitement adaptés aux terrasses et cours, ou à l'avant des mixed-borders.

▲ *Les rosiers miniatures comme 'Festival' sont issus des Polyanthas les plus nains. Ils sont parfaits là où la place manque, en lisière des massifs ou en pots.*

◄ *Les hybrides de* Rosa moschata *à port souple, tel 'Buff Beauty', au doux coloris, sont parfaits en mixed-border, associés à des vivaces et à d'autres arbustes d'ornement.*

Les couvre-sols

▲ *'Pyrénées' (ci-dessus à gauche) est un excellent rosier couvre-sol, épanoui du début de l'été jusqu'aux gelées. Il a gagné de nombreuses récompenses dans le monde. Il est parfait en petits massifs.*

▲ *'Emera' (ci-dessus à droite) est un éclatant rosier couvre-sol. Plébiscité dans le monde entier dans les années 90, il est très résistant aux maladies.*

Ces arbustes rampants masquant la terre, quel que soit le nom qu'on leur donne, sont très utiles dans les petits jardins. Le port étalé de certains de ces rosiers souples montre une forte ascendance de *Rosa wichurana*, espèce botanique rampante à fleurs blanches odorantes, provenant du Japon et introduite en Europe en 1860, et parente des rosiers grimpants dits « sarmenteux ». Il fallut attendre près d'un siècle pour voir leur caractère couvre-sol mis à profit par les obtenteurs et assister à la création d'une race nouvelle. 'The Fairy', introduit en 1932, est le meilleur survivant de cette première série, et il a souvent servi de parent depuis.

Au début de la seconde moitié du XXe siècle, deux types distincts de rosiers couvre-sols virent le jour et furent vite reconnus par les paysagistes de grands espaces. La France, le Danemark et la Hollande créèrent de fortes plantes touffues, alors que l'Allemagne, avec la race 'Kordes' Gamebird', offrait des rosiers prostrés, étalés. Il s'agissait là des précurseurs des couvre-sols actuels.

Environ une décennie après la naissance de ces grosses plantes étalées mais, hélas ! à floraison fugace, d'intéressantes nouveautés apparurent. En introduisant dans leur lignée des variétés remontantes à fleurs en bouquets (Floribunda), on créa des plantes couvrantes, basses, bien souvent de 1 m de large seulement, qu'on baptisa rosiers couvre-sols. Ces rosiers rampants trouvèrent vite leur place dans les plates-bandes et les massifs : si on les plante à 1 m d'écart, ils cachent complètement la terre et limitent les mauvaises herbes. Leurs jolies touffes sont particulièrement appréciables dans les petits jardins, car ils fleurissent durant tout l'été et l'automne, jusqu'aux premiers froids.

Le besoin de distinguer ces intéressants rosiers nouveaux de leurs prédécesseurs rampants se fit jour au fur et à mesure que leurs nombreux emplois modernes devenaient plus évidents. Le marketing résolut le problème en groupant ces nouvelles obtentions sous des noms de « séries ». Une sélection issue de variétés aux caractéristiques communes dues aux grands obtenteurs Kordes, en Allemagne, et Poulsen, au Danemark, fut par exemple lancée en Grande-Bretagne sous l'appellation de « série County », chaque variété recevant un nom de comté britannique. Il existe d'autres groupes comprenant les

races Verdia, venues d'Allemagne et qui connaissent un succès mondial. On a beaucoup parlé de la première variété vivement colorée, connue sous le nom d' 'Emera', surtout à propos de la santé de son feuillage. 'Opalia' (voir page 123), mon préféré, est l'un des meilleurs rosiers blancs parfumés pour massifs du moment. D'autres obtenteurs se sont intéressés à ces rosiers : 'Pathfinder', de Warner, est une variété marquante dont les vives fleurs vermillon-écarlate éclosent à profusion sur un arbuste couvre-sol typé.

Outre leur emploi premier, beaucoup de ces rosiers ont aussi été greffés sur tige pour produire de jolis rosiers pleureurs (voir page 34), surtout quand ils produisaient d'abondantes tiges souples et un beau feuillage. Leur caractère couvre-sol est également utile en bordure de muret ou sur la berge d'un étang, où leur beauté se reflète dans l'eau. Ces rosiers conviennent aussi bien dans les petits massifs, sur les talus et à l'avant des massifs d'arbustes. Installés à 60 cm en retrait de la lisière d'une plate-bande, ils lui donneront un fini parfait en recouvrant le sol.

▲ *'The Fairy' est une variété qui a servi de modèle pour établir les normes caractérisant les couvre-sols actuels. Ses élégants bouquets de petites fleurs doubles rose tendre sont étagés sur un buisson arrondi, ici associé dans un petit massif à des phlox et à des campanules.*

◀ *Les rosiers souples sont greffés sur de hautes tiges d'églantier pour donner des rosiers pleureurs qui offrent des cascades serrées de fleurs en juin. C'est ici une forme blanche de 'Dorothy Perkins' qui sert à border une allée de jardin.*

Les rosiers tiges

Dans les illustrations des aventures *d'Alice au pays des merveilles*, les rosiers du jardin de la Reine de Cœur sont des formes tiges, c'est-à-dire des buissons greffés sur des tiges nues d'églantier, ce qui amène les fleurs à hauteur des yeux, même avec les plus courtes formes. Le plus souvent, ce sont les variétés les plus populaires parmi les rosiers compacts et réguliers qui sont proposées en tiges par les Jardineries et pépinières. Ce sont surtout, mais pas toujours, des formes à grandes fleurs ou à fleurs en bouquets ; les miniatures, buissons et couvre-sols sont parfois conduits sur tige et servent ainsi à ponctuer un jardin. Écartez les variétés élevées, efflanquées ou brouillonnes, qui donnent des plantes inélégantes. Les demi-tiges, comparables quoique moins fréquentes, atteignent 60 cm de haut, contre 1 m pour les tiges.

Les pleureurs sont greffés encore plus haut, à 1,50 m. Ils sont parfaits pour donner de la hauteur à un massif de rosiers uniforme. Les rameaux en cascade cachent la tige, peu ornementale. C'est le greffage d'une variété à port souple qui fournit ces rosiers pleureurs. Bien que très beaux, ils demandent un supplément de soins. S'il s'agit de sarmenteux, rappelez-vous qu'ils fleurissent surtout en juin ; en les taillant, laissez des rameaux pour la floraison de l'année suivante. Vous pouvez supprimer les rameaux florifères âgés, mais évitez toutefois de créer des trous dans la silhouette générale. Certaines pépinières proposent comme pleureurs des variétés de couvre-sols qui constituent d'excellents apports pour un petit jardin de roses grâce à leur floraison bien plus longue que celle des vieux sarmenteux. Souvent dotés de tiges assez courtes – de moins de 1 m de haut –, ils sont également précieux dans les compositions en bacs, où ces petits « arbres » colorés donnent une structure bienvenue. On peut conduire les pleureurs sur un gabarit métallique, mais je les préfère libres.

Il y a peu de différences dans la plantation des pleureurs et celle des buissons, si ce n'est le tuteurage nécessaire des premiers. Soutenez la tige en introduisant un tuteur dans le sol avant la plantation, pour épargner les racines. Le sommet du tuteur doit coïncider avec la base des branches basses du rosier. Il arrive que les tiges produisent des gourmands entre le sol et le point de greffe. Ce sont des rejets naturels de l'églantier

▲ *Dans cette scène toute blanche, des rosiers 'Iceberg' sur tige servent à souligner et embellir l'accès à cette maison australienne contemporaine. Les rosiers, sur tige ou à massif, sont contre-plantés d'impatientes blanches.*

porte-greffe, qu'il ne faut pas laisser se développer. Éliminez-les d'un coup de pouce quand ils sont encore tendres.

Une des règles fondamentales de plantation consiste à s'assurer que la plante est adaptée à ses voisines. Les rosiers tiges ne doivent pas être trop proches d'autres rosiers du même type (2 à 3 m d'écart sont nécessaires en moyenne), encore qu'une disposition par paires ou en série puisse donner de la régularité à un massif.

À leur pied, les plantations devront être proportionnées. Choisissez donc d'autres plantes peu élevées pour ne pas réduire à néant l'effet visuel des tiges. Ne plantez pas de rosiers tiges dans un courant d'air froid (devant un trou dans un mur, une palissade ou une haie, par exemple) ; leur hauteur les rend plus sensibles aux vents froids et, dans les régions ventées, il est sage de les protéger.

Lors de la taille des rosiers buissons et des Floribundas sur tige, si vous voulez des plantes uniformes, équilibrées, observez les bourgeons dormants et leur position. Coupez au-dessus d'un œil tourné vers l'extérieur pour qu'il ne bouche pas le cœur de la plante en poussant et pour laisser passer l'air. Rabattez les grands rameaux de moitié avant l'hiver pour limiter les dégâts du vent.

Les rosiers grimpants pour murs et palissades

▲ *Le parfum emplit l'air et les « murailles » colorées des rosiers, parmi lesquels 'New Dawn', entourent et protègent ce salon pavé, tout au fond d'un petit jardin.*

Dans les petits jardins urbains aux clôtures élevées, où il y a malheureusement souvent plus de place sur les murs qu'au sol, les rosiers grimpants se révèlent irremplaçables. Ils permettent aussi bien de couvrir de vilaines palissades en planches que les grillages et les murs de la maison. Parmi eux, le choix est vaste ; il y en a pour toutes les expositions, toutes les hauteurs et toutes les situations. Avant l'arrivée des rosiers modernes, ils étaient souvent utilisés pour habiller les maisons, les murs de clôture, mais aussi les murs de séparation employés dans les jardins comme écrans et brise-vent.

Par nature, ces rosiers ne grimpent pas, ne possédant ni tiges volubiles ni vrilles pour s'accrocher, comme en ont les vraies lianes. Il faut donc les attacher à un cadre solide, tel qu'un jeu de forts fils de fer ou un treillage fixés au support, qu'il s'agisse d'un mur, d'une palissade ou d'un bâtiment. Pour bien garnir un mur, il faut veiller à conduire les tiges de la base horizontalement et à choisir une variété à la fois généreuse en rejets et assez robuste pour atteindre le sommet. Parmi les bonnes variétés à pousses nombreuses pour petit jardin figurent 'Compassion', 'Penny Lane', 'Summer Wine', 'New Dawn' et 'Altissimo'.

L'arcure des branches basses ralentit le flux de sève et permet de faire naître feuilles et fleurs depuis la base de la plante. En revanche, un grimpant conduit verticalement ne produit de fleurs qu'au sommet et reste dénudé au niveau du regard. Si l'on oublie de bien fixer les branches latérales, elles échappent à tout contrôle. Tendez du fil de fer plastifié ou galvanisé sur des pattes-fiches ou des pitons fixés dans la maçonnerie ou le bois. Tendez bien les fils en les écartant de 5 cm environ du support pour laisser passer l'air. Mieux vaut attacher les branches avec de la ficelle goudronnée qu'avec du fil de fer ou du plastique, car ces matériaux sont susceptibles d'étrangler les pousses et d'affaiblir le rosier. Quand les attaches se décomposent, il suffit de les remplacer. Les treillis de bois, fixés sur un mur ou employés comme écrans, peuvent également accueillir des grimpants. Palissez les branches sur la face externe pour pouvoir aisément « descendre » la plante et la tailler ou la réorganiser.

Les divers emplacements demandant des rosiers grimpants ne conviennent pas à toutes les variétés. Vous trouverez page 161 des conseils pour un emploi judicieux. Nombre de catalogues proposent des rosiers pour exposition nord, à l'ombre, ce qui en réalité signifie que certains rosiers tolèrent ce type de situation. Mais aucun n'apprécie véritablement d'être planté complètement à l'ombre, comme le montrent de nombreux sujets étiques, épuisés, luttant pour survivre dans des passages sombres et autres coins peu éclairés. Mais il peut y avoir des cas où un grimpant, sur un mur est ou nord-ouest bien protégé, aura assez de lumière pour s'épanouir, surtout si vous retenez une variété florifère. 'Mermaid' est souvent recommandé à l'ombre, mais songez qu'il peut être rabattu au sol par un fort vent de nord-est. Par ailleurs, à l'abri, il peut atteindre des proportions gigantesques, ce qu'il faudra vous rappeler également quand vous lui chercherez une place favorable.

▲ *'Altissimo' est un grimpant pour tous ceux qui aiment les églantines. La couleur de ses fleurs répond ici à celle de la fenêtre. Il peut également former un arbuste isolé si on raccourcit ses tiges principales au moment de la taille.*

La qualité la plus importante à retenir, même pour l'ombre partielle, est l'extraordinaire floribondité de presque tous les grimpants remontants actuels. Curieusement, les variétés réputées sensibles à l'oïdium, comme 'Zéphirine Drouhin', réussiront mieux à mi-ombre, les murs brûlants favorisant cette maladie. Les coins exposés de plein fouet aux pires conditions ne se prêtent guère, cependant, à la culture des rosiers, même très rustiques. Ne vous y risquez pas. Le plus résistant dans de mauvaises conditions est 'Maigold', un rosier souple épineux plus buissonnant que grimpant : soyez certain que, s'il ne pousse pas, aucun autre ne le pourra.

Les rosiers grimpants pour pergolas et piliers

▲ *'Warm Welcome' est l'un des meilleurs grimpants miniatures, avec des fleurs orange-vermillon mises en valeur par un feuillage bronze. Il est ici conduit sur une pyramide de pierre, point de mire du jardin, qu'il habille et cache partiellement.*

L'association classique des rosiers à des pergolas et à des arceaux convient à des plantes vigoureuses, au port souple, se prêtant au palissage sur les poteaux et au long des traverses horizontales. Le mode de végétation est le critère essentiel de choix des variétés pour cet emploi ; il est évident qu'une plante rigide ne s'y prête pas. Le parfum constitue également un élément non négligeable : en effet, les promeneurs qui déambulent sous les arcades aiment à profiter des aimables senteurs.

Autrefois, on utilisait systématiquement des rosiers sarmenteux pour garnir les pergolas et les arceaux, mais leur floraison était de courte durée. Les grimpants remontants modernes sont plus adaptés et, bien conduites (voir page 161), les variétés les plus vigoureuses conviennent même aux petits jardins. Comme leurs pousses assez rigides ne sont pas aussi accommodantes que celles des rosiers sarmenteux, il faut les manipuler délicatement jusqu'à ce que leur bois durcisse. Vous augmenterez passablement la durée de floraison en enroulant leurs tiges verticales autour des poteaux. De manière générale, les principes valables pour les grimpants conduits en éventail sont applicables. Sur une pergola, rien n'empêche d'associer un sarmenteux de début d'été comme 'Dorothy Perkins' à un remontant moins vigoureux pour avoir un « plafond » coloré au moins en juin ; les piliers, garnis uniquement de variétés remontantes, seront décoratifs pendant plus longtemps. Sur un support en treillage, il est recommandé d'attacher les pousses sur l'extérieur plutôt que de les laisser s'infiltrer dans les mailles. Vous pourrez ainsi aisément dépalisser vos rosiers, si nécessaire, afin de les tailler, de les entretenir et de les réagencer.

Divers catalogues mentionnent des rosiers grimpants « pour piliers ». Ces sélections au port dressé et régulier sont moins sujettes aux pousses vagabondes, qui laissent la base des plantes dénudées. Elles s'adaptent fort bien aux petits espaces qui ne permettent ni de s'étaler, ni de s'entortiller autour d'un support vertical. La conduite sur poteaux, cônes

▲ *Le grimpant 'Handel' est palissé sur les arceaux métalliques de cette gloriette où trône une superbe jarre en terre cuite emplie de joubarbes.*

et pylônes est un autre moyen utile de donner de la hauteur à un massif.

Dans certains jardins, on peut installer un alignement de poteaux reliés au sommet par une corde solide, souple, formant une série de vagues. Garni de rosiers sarmenteux, l'ensemble, lorsqu'il est épanoui, forme une élégante sculpture couverte de masses de fleurs.

Les espèces à grosses fleurs peuvent paraître disproportionnées sur de petits supports, et mieux vaut opter dans ce cas pour des formes à fleurs plus réduites. Les tout récents grimpants miniatures tels que 'Laura Ford', 'Warm Welcome' et 'Nice Day' correspondront parfaitement à l'échelle d'un petit jardin, bien que certains soient trop courts pour de hauts piliers ou pylônes. Il existe également des variétés utilisables sur des surfaces étroites, comme on en trouve souvent entre des fenêtres ou près des portes d'entrée. Elles sont parfaites en potées, dans les emplacements où un dallage ne permet pas une plantation en pleine terre. Les contenants devront avoir au moins 45 cm de hauteur et de largeur et il faudra prévoir de quoi accrocher les rameaux. Pour ce faire, placez l'ensemble près d'un mur garni de fil de fer ou piquez un treillage dans la terre du pot.

En général, les vieux rosiers sarmenteux comme 'Albertine' et 'Dorothy Perkins' prennent difficilement place dans les petits jardins : en effet, ils fleurissent brièvement, en juin, sont sensibles à l'oïdium quand il sévit, et de surcroît sont malaisés à tailler proprement. Nombre des grimpants les plus vigoureux, par ailleurs, à cause de leur grande taille, sont peu adaptés aux petits espaces. Ils peuvent cependant être utilisés dans certains cas, leurs tiges malléables garnissant un arbre adulte sur 7 m de haut et plus. Il faut un support à leurs tiges solides, au départ, avant qu'elles n'atteignent les branches, l'arbuste étant planté à 60 cm du tronc. Les variétés adaptées à cet usage, et que vous ne trouverez pas ailleurs dans cet ouvrage, sont les suivantes : *Rosa filipes* 'Kiftsgate', géant qui atteint plus de 10 m de haut et davantage, 'Rambling Rector', 'Alchymist', 'Wedding Day', 'Bobbie James' et 'François Juranville'. 'Alchymist' est presque buissonnant, mais produit de charmantes fleurs jaune ocré, 'François Juranville' est rose saumoné ; les autres variétés, blanches, sont peut-être les plus spectaculaires.

Ces dernières années, l'Allemand Karl Hetzel a obtenu divers rosiers sarmenteux remontants tels que 'Super Fairy', 'Super Elfin', 'Super Dorothy' et 'Super Sparkler', qui promettent beaucoup pour les petits jardins. Ils commencent à se répandre en Europe, parfois greffés sur tige pour donner des rosiers pleureurs remontants, et seront bientôt disponibles partout.

◂ *'Buff Beauty' et 'Felicia' sont des hybrides de Moschata de hauteur moyenne, ce qui les rend bien adaptés à la haie de ce petit jardin champêtre.*

Les haies de rosiers

Les rosiers, en haies, donnent une structure bien dessinée aux jardins grands ou petits, qu'ils colorent de leurs fleurs durant une grande partie de l'été. À la campagne en particulier, la gamme possible est très étendue, parmi des rosiers de tous types, même de hauteurs différentes. Les jardins de ville demanderont un style plus net et soigné, que donnera une forme compacte.

Une haie n'est rien d'autre qu'un rang de plantes jouant un rôle précis. Elle peut aussi bien se cantonner à 30 cm de haut qu'atteindre la hauteur d'un arbre. C'est le modèle le plus réduit qui nous intéresse, bien sûr, pour un petit jardin. Mais tout dépend du but recherché. Pour des haies basses servant à délimiter les divers secteurs du jardin, sans rien en cacher, les rosiers miniatures s'imposeront. 'Little Bo-Peep' est une variété qui conviendra à la perfection ; sa surabondante floraison est un des critères majeurs pour une bonne haie. Beaucoup de rosiers à massifs ne fleurissent qu'au bout des branches, ce qui ne fait pas du tout l'affaire. Ne retenez que des variétés épanouies de pied en cap, ne montrant pas de tiges dénudées.

▲ *'Graham Thomas', une rose anglaise jaune, ici avec des géraniums vivaces et des* Alchemilla mollis, *fait une belle séparation dans ce petit jardin bon enfant.*

Pour un résultat parfaitement homogène, arrêtez-vous à une seule variété ; mais, tant que l'ensemble du rang reste régulier, rien ne s'oppose à ce que vous les mélangiez, surtout si vous souhaitez un style libre. Cependant, pour éviter un effet bariolé, mieux vaut répéter les motifs : ABABABAB, ou AABBAABBAABB, ABCABCABC, voire ABCBABCBAB. Un mélange de variétés vous permet d'exercer votre imagination ; tant que le motif est cohérent, l'effet obtenu reste élégant. Nombre de rosiers buissons et de roses anglaises se prêtent bien aux haies plus élevées. Je me rappelle avoir vu une haie spectaculaire, quoique irrégulière, de *Rosa rugosa* hybrides et de *Rosa moyesii* 'Geranium' alternés, la masse de l'un contrastant bien avec la silhouette mince de l'autre, particulièrement quand l'automne les couvre tous deux d'éclatantes baies orange.

On utilise souvent des rosiers pour constituer des haies défensives, car elles ont le double avantage d'être à la fois sécurisantes et fleuries. Pas trop disproportionnés dans les petits jardins, les hybrides de *Rosa rugosa* comme 'Frau Dagmar Hastrup' se révèlent très épineux, ainsi que nombre de rosiers botaniques. Plantés profondément, les Rugosas émettent à la base d'abondants rejets qui épaississent la haie et la rendent encore plus impénétrable. Leurs baies vivement colorées et les tons dorés de leur feuillage d'automne sont autant d'atouts supplémentaires. À l'intérieur du jardin, on peut avoir à masquer des équipements laids mais indispensables tels que les compostières, incinérateurs et abris. Des Floribundas élevés tels qu' 'Iceberg' ou 'Mountbatten' seront parfaits pour cet emploi.

Des rosiers en pots

Dans un petit jardin, les rosiers peuvent être cultivés dans des pots de toutes formes et tailles pour garnir des dallages ou du gravier ou bien pour ponctuer l'ensemble du terrain. En fait, le recours aux bacs et jarres dans un patio ou une cour, sur une terrasse minérale ou flottante ou un balcon est souvent le seul moyen de cultiver des rosiers en ville, où ces contenants ont l'avantage supplémentaire d'être mobiles. Réfléchissez bien à leur emplacement : il faut agencer vos potées régulièrement, qu'elles soient isolées et servent de point de mire ou groupées par paires – des rosiers tiges en pots encadrant une porte d'entrée, par exemple ; sinon, groupez-les en masses plus fantaisistes.

Tous les rosiers poussent en pots, avec un volume de terre suffisant pour nourrir la plante. Un rosier miniature, par exemple, acquis à la Jardinerie dans un conteneur de 4 l, ou de 12 cm de diamètre, demandera un rempotage dans un volume au moins double pour croître harmonieusement. Un grimpant ou un rosier tige moyens nécessitent un bac ou un pot de 50 cm de diamètre et de profondeur. Le feuillage des hybrides de Thé et des Floribundas est généralement trop abondant, et leur végétation trop massive pour les potées de petits jardins.

Le style et la matière du contenant, qu'il s'agisse de terre cuite, de céramique, de pierre ou de bois, est affaire de goût

personnel. Mais il doit toujours comporter des trous d'évacuation à la base et une bonne couche de tessons de drainage au fond. S'il est posé sur une surface plane, surélevez-le légèrement pour permettre à l'eau excédentaire de s'évacuer. Prenez un substrat adapté aux arbustes, plutôt à base de terre franche additionnée de matière organique (compost ou fumier) bien mûre et d'un peu de potasse (les cendres d'un feu de bois récent, par exemple). Empotez vos rosiers entre novembre et mars.

Les règles habituelles de culture s'appliquent aux rosiers en pots, dont la survie dépend entièrement des soins que vous leur donnerez. Un bon arrosage est capital, surtout par temps sec ; si vous partez en vacances, veillez à ce que quelqu'un s'en charge. Les rosiers demandent, durant leur végétation, des apports d'engrais ; deux fois par semaine, ajoutez à l'eau d'arrosage un engrais pour tomates, riche en potasse, qui les fera fleurir abondamment. Pour se développer de façon régulière, il leur faut également de l'air et de la lumière de tous les côtés ; écartez-les donc légèrement des autres plantes. Supprimez régulièrement les fleurs fanées et taillez en fin d'hiver et au début du printemps (voir page 152).

Vos rosiers finiront par être à l'étroit en pot et leur substrat, sous l'effet des arrosages constants, diminuera et durcira. Tous les deux ou trois ans, au printemps, dépotez-les, dégagez les racines du substrat usagé et rempotez-les dans un mélange neuf. Entre ces rempotages, surfacez les pots. Pour ce faire, supprimez en surface une bonne couche de substrat et remplacez-la par une terre riche.

▲ *Ce joyeux mélange de plantes empotées dans des seaux métalliques, où figurent des rosiers tiges et des rosiers miniatures, apporte couleur et vie dans ce coin de dallage d'un jardin contemporain.*

◀ *Leurs couleurs, formes et parfums font des rosiers des plantes parfaites pour les bacs sur terrasse. Le célèbre Floribunda 'Iceberg' joue un rôle important en apportant une touche claire et un parfum durables.*

Le choix des rosiers pour potées

Seuls ou associés à d'autres plantes, les rosiers apporteront pour l'été couleur et vie à un petit jardin. Même isolés, la plupart des cultivars récents conviennent à merveille aux potées, surtout parmi les miniatures, grimpants miniatures et couvre-sols, au petit feuillage net et aux pousses souples. Le port étalé des variétés les plus prostrées fait également grand effet en paniers suspendus. Plantez les paniers en fin d'automne et laissez le tout dehors jusqu'à la reprise. Après quoi, si vous disposez d'une serre froide, rangez-les-y et « aidez » les premières pousses à retomber par-dessus le bord

◀ *Les rosiers couvre-sols en pots sont ici placés tout exprès pour souligner la régularité de la haie taillée. Ils apportent une touche de couleur au jardin sans altérer la rigueur géométrique du tracé.*

▶ *Certains rosiers couvre-sols poussent à merveille en panier suspendu. 'Vesuvia', aux fleurs carmin, et 'Gwent', jaune pâle, forment un tableau frappant. Trois ou quatre sujets, de la même variété si possible, sont parfaits pour un panier de 35 cm de diamètre. Vous devrez peut-être retailler leurs racines pour qu'elles tiennent.*

du panier. (Faute de serre, laissez-les dehors, mais sachez qu'ils ne fleuriront alors qu'en plein été.) Une fois tout risque de gelée écarté, placez le panier dehors. Arrosez tous les jours, en ajoutant une fois par semaine un engrais liquide pour tomates, riche en potasse, qu'apprécieront feuilles et fleurs.

Dans de grands bacs, rien n'oblige à planter les rosiers isolément, mais donnez-leur des compagnons bien choisis. Pour un groupe, faites votre choix parmi la masse de formes, tailles et couleurs des rosiers afin de créer des contrastes, ou bien mêlez-les à des plantes au feuillage doté d'une belle texture. Respectez toujours les échelles. Rien de moins assorti, par exemple, que d'élégants rosiers miniatures ou de Chine, aux petites fleurs, et des fatshederas au large feuillage luisant. Le choix des couleurs est également capital pour la réussite d'une scène. Si l'arrière-plan est sombre, il mettra parfaitement en valeur les fleurs d'une variété retenue pour ses tons clairs, qui raviveront et illumineront le tableau. Vous trouverez ci-contre quelques-uns des rosiers réussissant le mieux en pot ou en panier suspendu. Nous avons mentionné, quand il existe, leur nom de code international, composé des premières lettres du nom de l'obtenteur.

Les meilleurs rosiers pour la culture en pots

Variété	Code	Emploi	Couleur
Avon	POULmulti	Potée, corbeille	Blanc
Crystal Palace*	POULrek	Potée	Pêche clair
Festival*	KORdialo	Potée	Cramoisi et blanc
Gwent*	POULurt	Potée, corbeille	Citron
Vesuvia	KORTenay	Potée, corbeille	Rose carminé
Pyrénées*	POULcov	Potée	Blanc
Lancashire*	KORstegli	Potée, corbeille	Cramoisi
Little Bo-Peep	POULen	Potée	Rosé
Little White Pet		Potée	Blanc
Mandarin*	KORcelin	Potée	Orange et rose
Opalia*	NOASchnee	Potée, corbeille	Blanc
Pink Hit	POULtipe	Potée	Rose très tendre
Queen Mother*	KORquemu	Potée	Rose tendre
St. Boniface	KORmatt	Potée	Écarlate vif
Suffolk	KORmixal	Potée, corbeille	Cramois
The Fairy*		Potée	Rose tendre
Top Marks	FRYministar	Potée	Écarlate-orangé
Wiltshire*	KORmuse	Potée	Rose vif
Worcestershire	KORlalon	Potée, corbeille	Citron pâle

Les variétés suivies d'un astérisque sont illustrées dans l'ouvrage.

Les plantes à associer aux rosiers

▲ *Les fleurs raffinées de* Clematis florida *'Sieboldii' mettent bien en valeur les fleurs rose tendre du grimpant 'New Dawn', l'un des tout premiers remontants du genre. Choisissez bien la variété de clématite, qui peut demander un type de taille différent de celui du rosier. Les meilleures sont les diverses formes de* Jackmanii *et de* Viticella, *qui admettent d'être tondues ras en fin d'hiver ou au début du printemps.*

La multitude de formes et de couleurs offertes par les plantes du genre *Rosa* peut être soulignée par l'association dans le jardin avec des plantes d'autres familles, contrastées ou complémentaires. Outre qu'elles permettent d'enrichir et de diversifier les bordures, ces compagnes possèdent nombre de qualités. On peut soit les choisir épanouies à d'autres saisons, pour prolonger l'attrait des massifs quand les rosiers ne sont pas en fleur, soit opter pour des floraisons simultanées qui mettront en relief la prestation estivale des rosiers. Des arbustes élevés donneront du corps à une bordure, alors que des plantes basses tels des bulbes de printemps et des vivaces de début d'été masqueront les tiges nues de certains rosiers et formeront un tapis coloré.

Contre-planter les rosiers entraîne, il est vrai, des contraintes. Le paillage, qui risque d'étouffer les plantes courtes, est malaisé et l'application des engrais indispensables aux rosiers devient difficile avec une plantation serrée. Les rosiers remontants supportent souvent mal la concurrence d'autres végétaux ; il importe donc de leur donner de l'espace, tout en conservant le tracé et la continuité de la bordure. Ces modestes inconvénients pèsent peu, cependant, face à la beauté d'une plantation réussie.

La forme imposante et sculpturale de nombreux rosiers, leurs fleurs assez grandes, leur long épanouissement et leur vaste gamme de coloris leur donnent un rôle capital dans une bordure, où ils doivent représenter au moins un tiers des arbustes. Pour choisir leurs compagnons, ayez en tête la hauteur et la forme des fleurs aussi bien que la couleur, l'époque de floraison, la texture et le parfum de vos rosiers. Si on ne demande aux plantes de l'avant-plan que d'être assez hautes pour cacher les bois nus des rosiers, celles de l'arrière et du cœur du massif doivent avoir une silhouette étudiée. Les fleurs de ces compagnes sont d'ordinaire plus petites que celles des rosiers alentour et peuvent revêtir une forme tout à fait différente, comme les épis des delphiniums et digitales ou le brouillard des gypsophiles ou du *Crambe*

cordifolia. Associer les rosiers à des fleurs de formes semblables, des pivoines ou des cistes, peut offrir un jeu de miroir, à condition de ménager une subtile différence dans les tons et les hauteurs. Mais l'effet sera manqué avec des pivoines énormes mêlées à des rosiers à massifs ou avec des clématites aux fleurs de la taille d'une assiette palissées en compagnie de rosiers grimpants. Au sol, évitez les couvre-sols envahissants tels que lierres, jacinthes des bois ou sceaux-de-Salomon, qui accaparent eau et nourriture. En fin d'hiver, les bulbes apportent de la couleur aux massifs avant même que les rosiers ne débourrent. Vous disposez de toute une gamme de crocus blancs, crème, jaunes, mauves ou pourpre foncé, ainsi que des perce-neige blancs, raffinés, et des muscaris bleus. Les bulbes printaniers – jonquilles, narcisses et tulipes – seront superbes à travers les rameaux des rosiers couvre-sols ; quand ils seront fanés,

▲ *Les rosiers jouent ici un rôle, grâce à leur gamme de matières, couleurs et formes. Les fleurs de 'Little White Pet' contrastent avec les hauts épis des digitales et les boules de buis taillé, tandis que des rosiers sur poteaux donnent de la hauteur à l'arrière-plan.*

▸ *Dans cette scène chaleureuse, les épis jaunes des molènes et les feuilles vert chartreuse du houblon doré font ressortir les tiges argentées des coquelourdes et le feuillage vert des rosiers. Les fleurs rose vif des coquelourdes et les corolles rondes de ce Floribunda écarlate forment un puissant contraste.*

les rosiers auront démarré et leurs feuilles cacheront la végétation jaunissante et peu aimable des bulbes, qui assurera tranquillement leurs réserves. Les arbustes printaniers sont également de bons compagnons avec une floraison au même moment que les rosiers botaniques précoces, voire avant. Les spirées hâtives, les forsythias et les groseilliers *(Ribes)* à fleurs sont peut-être banals, mais donnent d'efficaces taches de couleur, suivies des blancs, crème, roses ou pourpres des lilas au capiteux parfum.

Les plantes vivaces restent des partenaires estivales classiques pour les rosiers dans les mixed-borders. Les hauts épis des digitales, delphiniums et roses trémières donnent de la hauteur à leurs touffes arrondies. Parmi les bulbes estivaux, divers lis représenteront une touche exotique tout en apportant une gamme de couleurs différentes. La fin de l'été voit encore une autre vague de couleurs apparaître au jardin avec les asters, phlox, fausses valérianes, *Sedum spectabile* et *Anemone japonica*, suivis par la masse des jaunes, orange, ors et écarlates des feuillages d'automne et des baies de rosiers.

Le choix de leurs compagnons dépend surtout du port des rosiers de votre mixed-border. Les couleurs fortes et les lignes dures de certains cultivars modernes à massifs, parmi les hybrides de Thé et de Floribundas, peuvent les rendre difficiles à employer isolément. Mieux vaut en faire de petits groupes, aux couleurs assorties à leurs voisins, et accompagnés de quelques arbustes trapus qui masqueront leur port raide. La plantation en touffes évite l'effet de « saupoudrage » donné par les plantes isolées et a plus de poids. De plus, des rosiers seuls paraissent perdus au milieu des autres plantes. Les rosiers buissons, en revanche, sont souvent plantés isolément. Un sujet au port touffu peut devenir le point de mire d'une bordure. Ceux qui possèdent une silhouette élancée et arquée, tels *Rosa moyesii* et *Rosa glauca*, voire des hybrides de Thé comme 'Alexander' et 'Congratulations', contrastent bien avec des plantes basses. Les buissons anciens et les roses anglaises se marient au mieux avec des vivaces, assorties ou opposées à leurs formes rondes et leurs grosses fleurs rondes aux nombreux pétales. Ces rosiers sont superbes dans une mer d'ancolies, ou près de la mousse légère des fleurs de gypsophile ou d'*Alchemilla mollis*, qui toutes exaltent les silhouettes et les fleurs plus massives, « charnues », des rosiers buissons.

Mariages de couleurs

L'une des qualités premières des rosiers est la vaste gamme de couleurs qu'offre le genre avec ses nombreux hybrides et espèces. En leur donnant des partenaires, votre but sera de trouver des vivaces, arbustes et bulbes épanouis en même temps, qui répondront à la couleur des roses et la souligneront, ou bien qui contrasteront et serviront de toile de fond. Dans les mixed-borders, on obtiendra un effet plus subtil avec des vagues de dégradés, plus heureuses que des changements heurtés.

Dans une association, tenez compte également de la couleur des feuillages, qui peuvent jouer un rôle capital de « fond » pour les rosiers. L'argent des *Stachys byzantina*, armoises et santolines, ainsi que les feuilles bleutées des lavandes, séneçons, et de *Ruta graveolens*, forment tous un parfait écrin pour les roses de toutes nuances, alors que l'or de nombreux fusains persistants écrasera le délicat rose tendre de 'The Fairy' ou de 'Cécile Brunner'. En revanche cet or, comme le gris argenté des lavandes ou des armoises, se mariera élégamment à des rosiers crème ou jaunes tels que 'Gwent' ou 'Crystal Palace'.

Quant aux contrastes, on pense aussitôt aux tons de bleu, qui font absolument défaut dans le spectre de couleurs offert par les rosiers. Les épis bleus des nombreuses variétés de lavande s'accordent à merveille aux rosiers roses de tous les tons. Chez les vivaces, ce sont les coloris des *Geranium* 'Johnson's Blue' et *G.* 'Buxton's Blue', des agapanthes rustiques, de nombreuses campanules et des cataires (*Nepeta* x *faassenii*) qui se marient à tous les roses, saumon excepté, peut-être. Les jaunes purs contrastent bien avec les bleus profonds, les teintes plus pâles, plutôt crème, préférant les bleus tendres. Songez également aux feuillages pourpres pour accompagner tous les roses : voyez, par exemple, *Ajuga reptans* 'Atropurpurea' et les pensées noires, ou bien, en plus grand, les *Cotinus coggygria*.

Qu'on souhaite être en harmonie avec les tons forts, vermillon vif et rouge-orangé de certains rosiers ou bien les atténuer, le choix est vaste parmi des vivaces telles que les coréopsis, rudbeckias, hémérocalles et les « soleils » les plus courts ainsi que les héliopsis. Parmi les annuelles à massifs, essayez les œillets et roses d'Inde ainsi que les soucis et les vrais tagètes (souvent associés aux rosiers pour attirer les syrphes, ennemis jurés des terribles pucerons). Les rouges profonds et les roses violents préfèrent souvent le voisinage des pourpres et des mauves. Le jaune des rosiers modernes est parfois difficile à associer ; s'il est fort et vif, il jurera avec la plupart des autres fleurs. On peut le marier à du fenouil bronze ou à d'autres feuillages du même ton, ainsi qu'aux bleus des *Salvia* x *superba*, delphiniums et penstemons.

▲ *Le blanc éclaire les plantations et donne une touche élégante aux mixed-borders. Le* Geranium *'Kashmir White' habille ici le pied d'un rosier double.*

▲ *Le tapis flou des graminées souligne l'éclatant écarlate du rosier miniature 'Festival'.*

les meilleures roses pour petits espaces

Les pages qui suivent présentent une collection de portraits des meilleurs rosiers pour petits jardins, balcons et terrasses, avec la description précise de leurs qualités et de leurs caractéristiques. Ils sont répartis en plusieurs familles : hybrides de Thé, Floribundas, grimpants, couvre-sols, rosiers buissons et roses anglaises. Tous sont commercialisés en France sous le nom indiqué. Pour offrir un plus large choix, les variétés les plus proches sont mentionnées. Les fiches descriptives de chaque rosier sont regroupées à la fin de chaque famille, après les portraits photographiés. Sous chaque nom sont indiqués les synonymes et le nom de code international ; ce code ne figure pas si la plante est née avant la mise en application de cette pratique. Après chaque description vous trouverez les principales caractéristiques du rosier : sa taille (étalement puis hauteur), le nom de l'obtenteur et l'année de sa naissance, ses parents, s'ils sont connus, et son éventuel parfum.

hybrides de Thé

Royal William

Un des meilleurs rosiers rouge foncé, aux pétales externes parfaitement ourlés.

Variété proche
Victor Hugo

Selfridges

Apprécié dans le monde entier pour son parfum et sa superbe couleur.

Variétés proches

Président Armand Zinsch
Paul Ricard

Cleopatra

Un port dressé et un feuillage sombre ; c'est une fleur à couper de longue durée.

Variété proche

Bolchoï

Ingrid Bergman

Ses fleurs classiques éclosent à profusion.

Just Joey

Une végétation puissante et trapue et de grandes fleurs aux bords ondulés.

Congratulations

Excellente fleur à couper, aux longues tiges lisses.

Valencia

Grosses fleurs au parfum doux, orange chamoisé, deux fois plus grosses qu'ici.

Madame A. Meilland

À coup sûr, l'une des meilleures roses de tous les temps (un peu plus de deux fois plus grande qu'ici).

Dawn Chorus

Des fleurs odorantes, nettes, à la classique forme turbinée (fleur grossie trois fois ici).

Variété proche Jean Giono

Silver Jubilee

L'un des meilleurs rosiers du XXe siècle, aux jolies fleurs chantournées.

Tequila Sunrise

Aussi coloré que le cocktail du même nom.

Variété proche

La Passionata

Tynwald

Rosier dressé dont les boutons arrondis s'ouvrent en larges corolles aux nombreux pétales.

Variété proche
Philippe Noiret

hybrides de Thé

Un temps nommés rosiers à grandes fleurs, ces arbustes sont aujourd'hui revenus à leur appellation d'origine d'hybrides de Thé. Les premières variétés à succès furent introduites à la fin du XIXe siècle. Elles avaient été obtenues en croisant des hybrides perpétuels et des rosiers Thé, d'où le nom de la première classification. Il est extrêmement douteux, cependant, que les grandes fleurs modernes aient le moindre rosier Thé parmi leurs parents, même lointains.

Les hybrides de Thé, rigides et érigés, aux boutons turbinés et aux fleurs pointues, étaient très différents des fleurs en rosette d'autrefois et ils engendrèrent un tout nouvel emploi des rosiers.

Ces rosiers à massifs possèdent des fleurs de forme classique, surtout terminales, portées isolément ou en bouquets très aérés de deux ou trois fleurs. Leur silhouette va de la forme mince, nette, au cœur pointu proposée par les fleuristes pour les bouquets, à de grandes corolles pleines, aux nombreux pétales. Les plantes elles-mêmes sont tantôt dressées, élégantes, atteignant 60 cm de haut, tantôt touffues, buissonnantes et ramifiées, tantôt imposantes, avec 2 m de hauteur.

Les premiers coloris, dans les rouges, roses et blancs, ont été améliorés par l'apport des jaunes et des orangés vers 1900, ainsi que des lumineux rouge cinabre vers 1950, qui donnèrent à leur tour les brillants vermillons d'aujourd'hui. Grâce à une sélection attentive et rigoureuse, les variétés en sont venues à produire des fleurs abondantes, élégamment effilées et turbinées, toutes ces caractéristiques permettant un emploi parfait en vase. Elles ont toutes les qualités requises pour la fleuristerie, notamment une couleur marquée dès que le bouton s'entrouvre ainsi que des pétales fermes et lisses, même au moment où ils tombent.

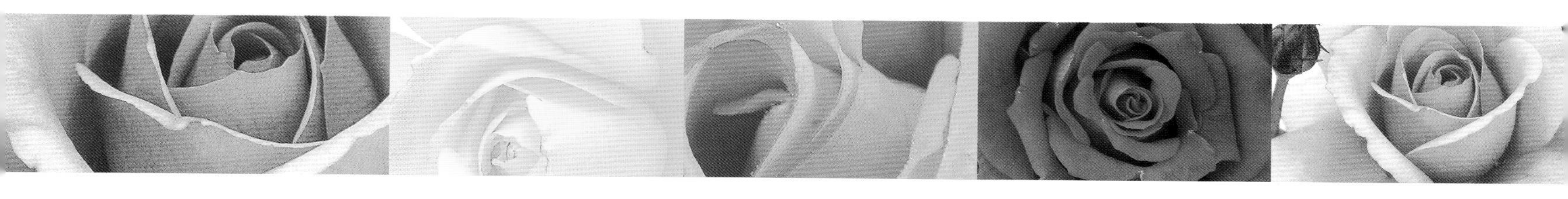

Cleopatra *page 55*

Synonymes *KORverpea; Kleopatra, New Kleopatra, Peace of Vereennigen*

À ne pas confondre avec une variété plus ancienne – datant des années 50 – du même nom, du même ton et, pour couronner le tout, du même obtenteur ! Celui-ci est un rosier à port dressé, aux fleurs racées de taille moyenne, à cœur dense, écloses généralement en solitaires, mais parfois en bouquets. Leur couleur est un brillant écarlate à l'intérieur avec du jaune paille au revers. Le feuillage, vert bronze soutenu, est teinté de rouge dans son jeune âge et, avec les tiges pourpre sombre, il met bien les fleurs en valeur. Excellente fleur à couper.

Taille *50 cm × 75 cm*

Obtenteur *Kordes, Allemagne, 1994*

Léger parfum

Variété proche *Bolchoï (syn. MEIzuzes)*

Une rose très double, à longue floraison et au parfum puissant.

Taille *70 cm × 80 cm*

Congratulations *page 58*

Synonymes *KORlift ; Sylvia*

Rosier de haute taille, parfois classé dans les Floribundas, bien qu'il produise des fleurs solitaires plutôt qu'en bouquets. Sa taille élevée le désigne tout naturellement pour les fonds de bordure. Ses fleurs d'un beau rose clair, à l'élégante forme classique, éclosent au bout de longues tiges lisses, presque dépourvues d'épines. Coupées, elles durent jusqu'à une semaine en vase, ce qui fait de ce rosier un favori des amateurs de bouquets.

Un sport (mutation) plus clair de cette variété a été choisi par l'association des amateurs de bouquets britanniques pour commémorer son trentième anniversaire, sous le nom bien choisi de 'Pink Pearl'. Le feuillage, mat, est vert clair, teinté de brun dans sa jeunesse.

Taille *60 cm × 120 cm*

Obtenteur *Kordes, Allemagne, 1979*

Parents *Carina × semis*

Léger parfum

Dawn Chorus *page 60*

Synonyme *DICquasar*

Les fleurs nettes, parfumées, aux denses pétales ondulés, de 'Dawn Chorus' éclosent en assez grands bouquets aérés, sur un arbuste moyen, trapu. Celles-ci, de forme classique, turbinées, durent extrêmement longtemps et ont de ce fait beaucoup de succès en art floral, malgré des tiges un peu courtes.

Son feuillage rouge cuivré fait un écrin superbe aux fleurs délicates, orangées et jaune-orangé vif. Très recherché pour les massifs, il a été élu en 1993 rosier de l'année par les professionnels britanniques de la rose.

Taille *60 cm × 60 cm*

Obtenteur *Dickson, G.-B., 1993*

Parents *Wishing × Peer Gynt*

Parfumé

Variété proche *Jean Giono (syn. MEIrokoi)*

Cette variété produit en abondance des fleurs très doubles, jaune bordé d'orange.

Taille *70 cm × 90 cm*

Ingrid Bergman *page 56*

Synonyme *POULman*

Les grandes fleurs rouge sombre satiné du rosier 'Ingrid Bergman' sont un bel hommage à l'une des beautés classiques du monde du cinéma. Spiralées, elles sont bien dressées sur des tiges rigides, un atout apprécié en vase. Mais sa véritable qualité tient à la résistance aux intempéries des pétales fermes de ses fleurs, qui en fait une valeur sûre en parterre comme en mixed-border. Le feuillage, abondant, est vert foncé et luisant. Les fleurs ont également une légère odeur, éloignée cependant du parfum capiteux qu'on attend chez une rose rouge.

Taille *60 cm × 90 cm*

Obtenteur *Poulsen, Danemark, 1986*

Léger parfum

Just Joey *page 57*

Les boutons pointus, rouge-orangé cuivré, donnent d'étonnantes fleurs de grande taille aux bords frisés. Abricot chamoisé, elles se teintent peu à peu de

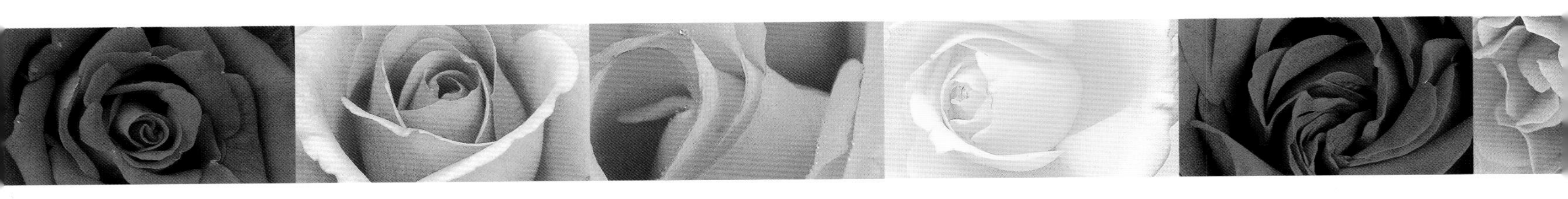

rose sur le bord. L'arbuste, aéré, un peu anguleux, est bien garni de feuilles rouge bronze mat, devenant vert bronze.

Cette variété célèbre et populaire a été dédiée par l'obtenteur à sa femme. Elle a reçu en Nouvelle-Zélande le titre de « meilleur rosier du monde » au congrès mondial de 1994 de la Fédération mondiale des sociétés d'amateurs de roses.

Taille *60 cm* × *60 cm*

Obtenteur *R. Pawsey (Cants of Colchester), G.-B., 1973*

Parfumé

MADAME A. MEILLAND *page 59*

Synonymes *Gioia, Gloria Dei, Peace*

L'un des rosiers les plus célèbres de tous les temps et peut-être le plus apprécié, malgré quelques détracteurs.

'Madame A. Meilland' est un arbuste solide, plus développé que la moyenne, surtout si on ne le taille pas.

Obtenu à la fin des années 30, il ne fut lancé qu'après la Seconde Guerre mondiale, à l'assemblée inaugurale des Nations unies, d'où son nom anglo-saxon ('Peace').

Les fleurs, au parfum léger, comptent parmi les plus grandes du genre et varient légèrement en couleur suivant le sol et le climat. Au cours de sa longue existence, il a produit diverses mutations. Les gros boutons ronds, jaunes à bord rosé, éclosent en grandes fleurs ondulées jaune pâle à lisière rose. Le solide feuillage, coriace, est vert foncé luisant.

Taille *120 cm* × *120 cm*

Obtenteur *Meilland, France, 1939*

Léger parfum

ROYAL WILLIAM *page 53*

Synonymes *KORzaun ; Duftzauber '84', Fragrant Charm, Leonor Christian*

Les fleurs, cramoisi foncé, ont une forme classique, avec des pétales externes parfaitement recourbés vers l'extérieur. Le parfum, capiteux et fruité, est celui qu'on attend des roses cramoisies et les pétales restent fermes et brillants. Ce qui rend ce rosier exceptionnel est sa végétation vigoureuse et saine et son feuillage insensible aux maladies, brun-rouge dans sa jeunesse, puis vert bronze foncé.

Élu rosier de l'année en 1987 par les rosiéristes britanniques, il a également reçu la médaille James Mason en 1999.

Taille *60 cm* × *90 cm*

Obtenteur *Kordes, Allemagne, 1984*

Parents *Feuerzauber* × *semis*

Très parfumé

Variété proche *Victor Hugo (syn. MEIvestal)*
Longue floraison et parfum puissant garantis.

Taille *60 cm* × *90 cm*

SELFRIDGES *page 54*

Synonymes *KORpriwa ; Berolina*

Jaune vif à reflets ambre, les fleurs de 'Selfridges' ont une forme et une taille parfaites. La délicate senteur de thé a fait le succès de ce rosier, bien que son extrême vigueur lui fasse émettre parfois des pousses de 2 m de haut, justifiant sa place à l'arrière des plates-bandes. Le feuillage, satiné, est vert vif et les fleurs sont excellentes en vase, car elles sont dotées de longues tiges lisses, peu épineuses.

L'appellation 'Selfridges' provient du nom de Gordon Selfridge, fondateur des magasins londoniens qui portent son nom, de la naissance duquel on célébra ainsi le centenaire.

Taille *60 cm* × *120 cm et plus*

Obtenteur *Kordes, Allemagne, 1984*

Parfumé

Variétés proches

Président Armand Zinsch (syn. DELzinsch)
Cette variété vigoureuse est dotée de grandes fleurs parfumées.

Paul Ricard (syn. MEIrivoz)
son parfum puissant rappelle l'anis.

Taille *90 cm* × *100 cm*

SILVER JUBILEE *page 61*

Superbe variété aux fleurs remarquables, écloses en abondance. Bien que ce rosier soit plutôt destiné aux massifs, où il apporte une belle masse de couleurs,

l'éboutonnage (technique consistant à retirer une partie des boutons) produit des fleurs géantes, appréciées par l'art floral.

Le coloris est un abricot saumoné à revers plus soutenu, l'intérieur portant parfois des reflets rosés. Le beau feuillage vert moyen est ample et abondant. La plante, dressée quoique touffue, est assez épineuse mais élégante.

Dénommé pour commémorer le jubilé de la reine Elizabeth d'Angleterre, ce rosier est également un bel hommage à son obtenteur, le regretté Alec Cocker.

Taille *60 cm* x *75 cm*
Obtenteur *Cocker, G.-B., 1978*
Parents *[(Highlight* x *Colour Wonder)* x *(Parkdirektor Riggers* x *Picadilly)]* x *Mischief*
Léger parfum

Tequila Sunrise *page 62*

Synonymes *DICobar ; Beaulieu*

Spectaculaire cocktail de roses, ses pétales, sombres et serrés au stade de bouton, explosent en une fleur jaune d'or profond, largement bordée et ombrée d'écarlate vif, qui vire ensuite à l'orange. Un luisant feuillage vert bronze, légèrement teinté de brun dans son jeune âge, densifie le buisson, compact. Les fleurs éclosent parfois en élégants bouquets, parfois isolément.

C'est une fascinante variété, à regarder de près en massif ou à couper pour mettre en vase.

Taille *60 cm* x *60 cm*
Obtenteur *Dickson, Irlande du Nord, 1989*
Léger parfum

Variété proche *La Passionata (syn. DELapo)*
C'est un rosier vigoureux, doté d'une abondante floraison.
Taille *80 cm* x *100 cm*

Tynwald *page 63*

Synonyme *MATwyt*

Grand rosier érigé aux boutons arrondis typés, ivoire légèrement teinté de citron, fréquemment éclos en bouquets, mais plus souvent solitaires. Ils donnent de grandes fleurs rondes aux nombreux pétales, qui semblent blanches au départ, mais qui apparaissent finement colorées de citron et de rose tendre dans leurs replis.

Souvent de très grande taille, ce rosier convient bien aux arrière-plans où, bien taillé, il forme un élégant arbuste.

Il a été baptisé en 1979 pour commémorer le millénaire du Tynwald, parlement de l'île de Man, la plus vieille législature active du monde.

Taille *60 cm* x *120 cm*
Obtenteur *Mattock, G.-B., 1979*
Parents *Peer Gynt* x *Isis*
Parfumé

Variété proche *Philippe Noiret (syn. MEIzoele)*
Excellente variété, jaune clair souligné d'un liseré rouge, qui a recu de nombreuses récompenses.

Valencia *page 59*

Synonymes *KOReklia ; New Valencia, Valeccia*

Très grosses fleurs orange brûlé à reflets dorés, d'une forme parfaite, qui leur vaut de hautes récompenses dans les concours floraux. Le fin parfum, doux et fruité, est très présent et incite le passant à plonger le nez au cœur des pétales. Excellente fleur à couper, 'Valencia' s'épanouit sans arrêt durant tout l'été et l'automne, mais peut souffrir de la pluie, qui « colle » ses fleurs.

Cet arbuste vigoureux conviendra au cœur d'un parterre ou d'une mixed-border.

Taille *60 cm* x *90 cm*
Obtenteur *Kordes, Allemagne, 1989*
Très parfumé

Floribundas

Shocking Blue

Un parfum incroyable et une couleur inattendue.

Fellowship

Les fleurs parfumées, aux couleurs chaudes, attirent l'œil à coup sûr.

Sunset Boulevard

Particulièrement bien mis en valeur sur un fond de persistants sombres.

Variété proche
Martin des Senteurs

Intrigue

L'un des rouges les plus foncés parmi les roses, sur des fleurs semi-doubles groupées en gros bouquets.

Variété proche

Prestige de Bellegarde

Trumpeter

Arbuste bas et touffu, aux fleurs d'une claironnante couleur (présenté ici grossi deux fois).

Variété proche
Matthias Meilland

Anna Livia

Rosier à massifs raffiné, populaire à juste titre pour sa végétation régulière et ses belles fleurs (un tiers moins grandes qu'ici).

Variété proche
Paris 2000

Fascination

Cette belle variété compacte est parfaite pour un petit jardin. Elle est ici moitié moins grande que nature.

Variété proche
Marie-Curie

The Times

Élégant rosier à massif, à la réputation de bonne santé justifiée.

Variété proche
Florian

Sweet Dream

Jolie variété aux tons doux pour un petit espace.

Oranges and Lemons

Une rose parfumée avec une touche d'exotisme.

Variétés proches

Méli-Mélo
Brocéliande

Queen Mother

Rosier élégant baptisé lors du quatre-vingt-dixième anniversaire de la reine mère.

Variété proche
Bordure Rose

Festival

Arbuste net, au port arrondi et au feuillage luxuriant.

Crystal Palace

Rosier court aux fleurs groupées plus grandes que chez la plupart des rosiers miniatures (deux fois plus grandes qu'ici).

Korresia

Une rose dotée d'un des plus délicieux parfums, rares avec cette couleur.

Mandarin

Une rosette de pétales montrant un remarquable mélange de couleurs (ici quatre fois plus grande que nature).

Iceberg

C'est toujours l'un des meilleurs rosiers blancs de tous les temps.

Hannah Gordon

Des fleurs parfaites en bouquets réguliers, ici quatre fois plus grandes que nature.

Variété proche
Betty Boop

Floribundas

Anciennement appelés rosiers à fleurs en bouquets, les Floribundas à massifs portent des fleurs groupées qui s'ouvrent simultanément. Ces grands bouquets de fleurs, caractéristiques de ce groupe, sont les descendants des roses pompons (peu cultivées de nos jours en raison de leur sensibilité à l'oïdium), avec une texture de pétales due à leur hérédité hybride de Thé. Leurs ancêtres plus lointains encore, les rosiers de Chine, ou *Chinensis,* ont laissé aux Floribundas de fortes traces. Leur floraison se prête à une coloration en masse de tout le jardin plutôt qu'à des plantations isolées et raffinées à admirer de près. Toutefois, il faut reconnaître que les inflorescences de nombreux Floribundas sont aussi belles que celles de leurs parents à grandes fleurs.

La taille et la forme des fleurs sont extrêmement variables, allant d'élégantes églantines rappelant celles de leurs ancêtres sauvages à des masses de pétales comme en possèdent les hybrides de Thé à grandes fleurs. La hauteur n'intervient pas dans la définition des Floribundas. Certains sont nains et désormais classés dans les rosiers miniatures, d'autres sont géants et atteignent 2 m de haut ou plus si on ne les taille pas. Voyez 'The Queen Elizabeth', par exemple. Parmi les Floribundas figurent des plantes parfumées qui, bien que peu nombreuses, n'ont rien à envier à ce qu'offrent les autres rosiers.

Les rosiers miniatures issus de Floribundas courts (50 cm et moins) et de rosiers à petites fleurs sont très à la mode. Ils sont parfaits en bacs, sur une terrasse ou un balcon, pour égayer les dallages où planter est impossible, ou quand la place est limitée à de petits massifs où les grands hybrides de Thé et les Floribundas ne peuvent tenir. Les miniatures sont également excellents en lisière d'allées et de massifs d'arbustes. Il en existe de très bons vendus comme plantes en pots qui, avec quelques soins, coloreront la serre froide ou, pour un temps bref, l'appartement.

Anna Livia *page 74*

Synonymes *KORmetter ; Sandton Beauty, Trier 2000*

Ses grandes fleurs roses doubles ont un discret reflet saumon, perceptible par des yeux exercés. Les bouquets sont particulièrement bien formés et portent souvent dix fleurs et plus épanouies en même temps.

Cette belle variété est un peu impressionnante lorsqu'elle est plantée en masse. Buissonnante, la plante a une végétation très régulière, qui en fait l'une des meilleures pour les massifs. Atout supplémentaire, elle dégage un parfum frais et léger.

Son nom, 'Anna Livia', est celui d'un personnage de l'écrivain irlandais James Joyce, et commémore le millénaire de Dublin, en 1988.

Taille *60 cm* **x** *75 cm*
Obtenteur *Kordes, Allemagne, 1985*
Parents *(semis* **x** *Tornado)* **x** *semis*
Léger parfum

Variété proche *Paris 2000 (syn. DELav)*
Un rosier vigoureux et florifère.
Taille *60 cm* **x** *80 cm*

Crystal Palace *page 81*

Synonymes *POULrek ; Cristel Palace*

Rosier miniature. Variété courte à fleurs groupées, différente de nombre d'autres miniatures par ses fleurs plutôt grandes et son port moins compact. Ses superbes corolles sont décrites comme « crème rosé clair » ; ce ton délicat donne tout son charme à cette superbe variété.

Taille *60 cm* **x** *60 cm*
Obtenteur *Poulsen, Danemark, 1995*
Léger parfum
Convient en pots

Fascination *page 76*

Synonyme *POULmax*

Le feuillage, luisant, vert foncé, recouvre ce rosier à massifs portant de jolis bouquets de fleurs corail, odorantes. Ce buisson net et compact est une superbe acquisition pour un petit jardin, où il convient tant en massifs et plates-bandes de petite taille qu'en jardinières, jarres et grands pots.

Taille *60 cm* **x** *60 cm*
Obtenteur *Poulsen, Danemark, 1999*
Parfumé
Convient en pots

Variété proche *Marie Curie (syn. MELomit)*
Cette variété très résistante est dotée d'une abondante floraison.
Taille *60 cm* **x** *70 cm*

Fellowship *page 70*

Synonymes *HARwelcome ; Livin'Easy*

L'un des Floribundas les plus vivement colorés, dont les fleurs d'un vif vermillon orangé apparaissent abondamment en bouquets réguliers. Les boutons de type hybrides de Thé éclosent en coupes aux pétales bien ronds, avec des étamines dorées.

Ce vigoureux arbuste touffu, bien garni de feuilles vert foncé, luisantes, est réputé très peu sensible aux maladies. Pour les amateurs de couleurs chaudes, c'est un excellent choix, qui égaiera un coin triste du jardin (pas à l'ombre cependant). Mais son coloris le réserve aux jardiniers n'ayant pas froid aux yeux !

Taille *60 cm* **x** *75 cm*
Obtenteur *Harkness, G.-B., 1992*
Parents *Southampton* **x** *Remember Me*
Léger parfum

Festival *page 81*

Synonyme *KORdialo*

Rosier miniature. Jolie variété produisant de gros bouquets de fleurs de 5 à 8 cm de diamètre. Elles sont écarlate cramoisi avec un revers argenté qui donne un dessin bicolore aux boutons. La fleur est cramoisie à l'éclosion, avec un cœur blanc qui souligne l'or des étamines.

Cet arbuste bas, arrondi, est idéal en lisière de massif ou en jardinière. Le feuillage est vert foncé et très luisant.

Taille *45 cm* **x** *45 cm*
Obtenteur *Kordes, Allemagne, 1993*
Parents *Regensberg* **x** *semis*
Léger parfum
Convient en pots

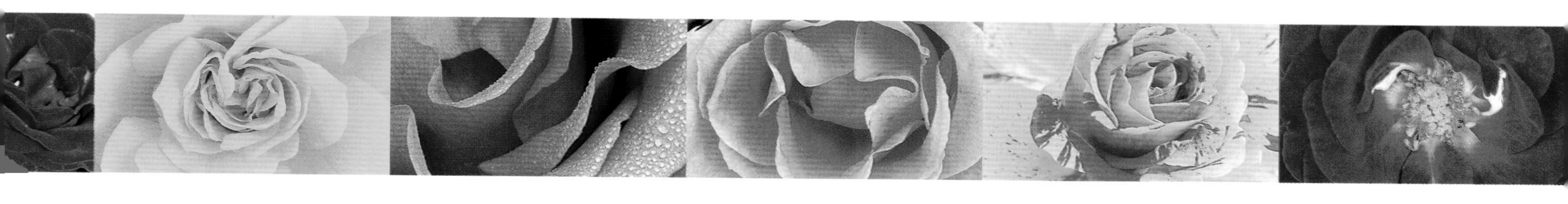

Hannah Gordon *page 84*

Synonymes *KORweiso ; Raspberry Ice*

Joli assemblage dans les tons de rose, allant du blanc à peine rosé, au cœur, jusqu'au rose cerise sur les bords. Les tons varient suivant l'ensoleillement, et foncent quand la fleur vieillit. Les fleurs apparaissent en bouquets moyens, bien aérés sur un arbuste dressé.

La forme des boutons, leur couleur pittoresque et les tiges peu épineuses font de cette variété une rose à couper prisée par un grand nombre de jardiniers. Elle convient à tous les jardins.

Taille *60 cm* x *75 cm*
Obtenteur *Kordes, Allemagne, 1983*
Parents *semis* x *Bordure (Strawberry Ice)*
Léger parfum

Variété proche *Betty Boop (WEKplopic)*

Iceberg *page 84*

Synonymes *KORbin ; Fée des Neiges, Schneewittchen*

Apparu en 1958, 'Iceberg' est toujours l'un des rosiers les plus plantés. Cette plante buissonnante, presque arbustive, porte des fleurs blanc pur semi-doubles, de forme parfaite. Le blanc se teinte parfois d'une touche de rose, surtout par temps froid, et, comme sur toutes les roses blanches, le moindre accident est immédiatement visible ; les gouttes de pluie qui persistent peuvent, par exemple, laisser des taches rosâtres. Les bouquets peuvent porter en même temps jusqu'à une douzaine de corolles dotées d'un léger parfum de rose sauvage.

'Iceberg' a de nombreux emplois : en massifs, formé en arbuste, en haie ; c'est l'un des meilleurs rosiers tiges. Il a même produit un sport grimpant bien utile grâce aux 4 à 5 m qu'il atteint, s'épanouissant au cœur de l'été.

Taille *75 cm* x *110 cm*
Obtenteur *Kordes, Allemagne, 1958*
Parents *Robin Hood* x *Virgo*
Léger parfum

Intrigue *page 72*

Synonymes *KORlech ; Lavaglut, Lavaglow*

L'une des roses rouges les plus foncées parmi celles qu'offrent les catalogues. À ne pas confondre avec une obtention américaine, rouge pourpré, du même nom. Les grands bouquets comportent souvent plus de vingt-quatre corolles cramoisi sombre. Ces fleurs semi-doubles sont très belles en plein soleil, où elles conservent leur couleur jusqu'à la chute.

L'arbuste, de taille moyenne, est vigoureux, touffu et bien fourni en feuillage sombre vert bronze. C'est un excellent rosier pour tous les jardins en raison de sa floraison quasi continuelle, de juin aux premières gelées.

Taille *60 cm* x *60 cm*
Obtenteur *Kordes, Allemagne, 1981*
Parents *Gruss an Bayern* x *semis*
Léger parfum

Variété proche *Prestige de Bellegarde (syn. EVEpreste)*
Variété à végétation régulière, très florifère à l'automne.
Taille *60 cm* x *80 cm*

Korresia *page 82*

Synonymes *KORresia ; Friesia, Sunsprite*

C'est toujours l'un des meilleurs rosiers jaunes à massifs. Ses grandes fleurs de type hybride de Thé éclosent tantôt en solitaires, tantôt en bouquets, et se succèdent rapidement. D'un vif jaune clair, elle ne pâlissent pas, contrairement à ce que font d'ordianaire les roses de cette couleur. L'autre aspect inattendu chez 'Korresia' est son puissant parfum.

Puissant arbuste touffu de hauteur moyenne, bien garni d'un abondant feuillage vert vif et brillant, il est excellent en haies. Les fleurs fanées tombent d'elles-mêmes, rendant le nettoyage superflu.

Taille *60 cm* x *75 cm*
Obtenteur *Kordes, Allemagne, 1977*
Parents *Friedrich Worlein* x *Spanish Sun*
Très parfumé

Mandarin *page 83*

Synonyme *KORcelin*

Miniature. Les tons d'or, d'orange, de rose et même de rouge se mêlent dans les petites fleurs en rosette de ce petit arbuste net. Après l'éclosion, le rose

domine et l'orange s'éclaircit ; les rosettes s'étoffent alors que les pétales se recourbent légèrement vers l'extérieur. Les tiges sombres sont bien raides et habillées d'un joli feuillage vert sombre, ce qui rend ce rosier idéal pour un petit parterre, sur une terrasse ou toute autre aire pavée.

Taille *45 cm* x *45 cm*
Obtenteur *Kordes, Allemagne, 1987*
Culture en pots possible
Léger parfum

Oranges and Lemons

page 79

Synonymes *MACanlorem ; Papagena*

C'est un rosier pour les amateurs d'inattendu, plutôt pour un parterre aux couleurs chaudes. Ses grandes fleurs pleines jaune d'or portant des stries et des taches orange soutenu sont portées en bouquets clairs par un arbuste plus haut que la moyenne. Ses longues tiges rendent ce Floribunda intéressant pour les bouquets.

Le feuillage vert bronze profond, luisant, est teinté de rouge pourpré dans son jeune âge. Palissées, les plus hautes tiges peuvent en faire un arbuste, voire un sujet pour pylônes.

Taille *60 cm* x *110 cm*
Obtenteur *Mc Gredy, Nouvelle-Zélande, 1993*
Parents *Roller Coaster* x *New Year (Arcadian)*
Léger parfum

Variétés proches
Méli-Mélo (syn. Orastrip)
Un coloris étonnant sur un arbuste sain.

Brocéliande (syn. Adaterhuit)
Très florifère
Taille *100 cm* x *120 cm*

Queen Mother *page 80*

Synonymes *KORquemu ; Queen Mum*

Miniature. Joli rosier élégant baptisé lors du quatre-vingt-dixième anniversaire de la reine mère d'Angleterre ; il est devenu encore plus populaire après ses cent ans.

Ses sobres fleurs, semi-doubles, rose tendre, ont beaucoup de charme, bien détachées sur le feuillage luisant, vert sombre. Cette vigoureuse plante buissonnante, courte à moyenne, est une excellente variété, apparentée à une série d'obtentions récentes de Kordes, qui sont toutes résistantes aux maladies.

Taille *60 cm* x *60 cm*
Obtenteur *Kordes, Allemagne, 1991*
Parfum délicat

Variété proche
Bordure Rose (syn. DELcoussi)
Buisson bas et régulier, fortement remontant.
Taille *60 cm* x *80 cm*

Shocking Blue *page 69*

Synonyme *KORblue*

Un des meilleurs rosiers dits « bleus ». 'Shocking Blue' a commencé sa carrière en Allemagne comme fleur coupée, mais, après essai en pleine terre, a vite été apprécié par les jardiniers amateurs d'extraordinaire. Les boutons magenta sont ombrés et lavés de violet sombre et éclosent en une fleur lilas magenta au parfum marqué.

Pour tirer au mieux parti de ce ton peu commun, nous vous conseillons le voisinage de fleurs citron ou de feuillages dorés, faute de quoi il ne ressortira guère sur ses feuilles vert sombre. Un bon nettoyage des fleurs fanées est nécessaire, comme chez beaucoup, pour soutenir la remontance.

Taille *60 cm* x *110 cm*
Obtenteur *Kordes, Allemagne, 1985*
Parents *Silver Star* x *semis*
Très parfumé

Sunset Boulevard

page 71

Synonyme *HARbabble*

Baptisé comme la comédie musicale du même nom, pour la promouvoir, 'Sunset Boulevard' a reçu des rosiéristes britanniques le titre de rose de l'année 1997.

Les élégants boutons bien formés, d'un brillant orange saumoné, révèlent en s'épanouissant un étrange ton abricoté au cœur des pétales serrés. Les fleurs éclosent sans arrêt sur un arbuste dressé mais compact, bien garni

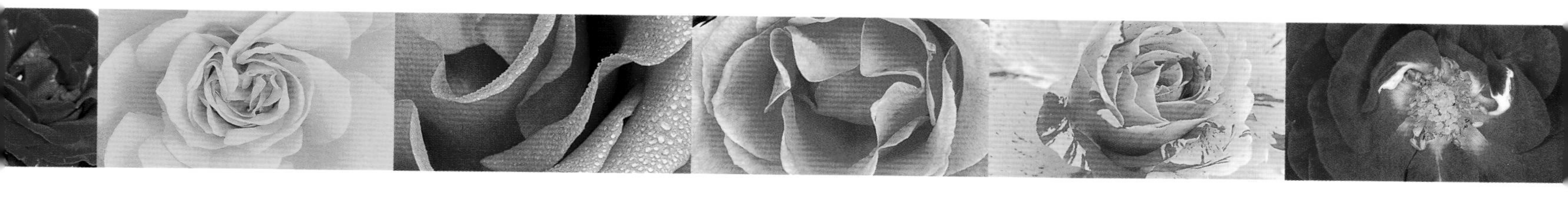

de feuilles vert moyen, satinées. Cette variété prend tout son relief sur un fond sombre.
Taille *60 cm x 75 cm*
Obtenteur *Harkness, G.-B., 1997*
Parents *Harold MacMillan x Fellowship*
Léger parfum

Variété proche *Martin des Senteurs (syn. ADAbaluc)*
Florifère et très parfumé.

Sweet Dream *page 78*

Synonymes *FRYminicot ; Sweet Dreams*
Miniature. Ses bouquets de boutons ronds abricot crémeux éclosent en rosettes pêche abricoté, plus sombre au cœur. Chaque bouquet comporte de deux ou trois à toute une masse étalée de fleurs, écloses au bout de robustes pousses rigides. La plante émet souvent de grandes tiges, qu'on palisse parfois comme sur un court grimpant, mais, si vous souhaitez un sujet bas et arrondi, vous pouvez le rabattre en conséquence. Quel que soit son mode de conduite, 'Sweet Dream' est un bon rosier pour haies basses, pour mixed-borders et pour potées.
Taille *60 cm x 60 cm*
Obtenteur *Fryer, G.-B., 1988*
Parents *semis x [(Anytime x Liverpool Echo) x (New Penny x semis)]*
Léger parfum

The Times *page 77*

Synonymes *KORpeahn ; Mariandel, Carl Philip Christian IV*
Titulaire de nombreuses récompenses internationales, cet excellent rosier a reçu au Royaume-Uni le nom du célèbre journal londonien, pour le bicentenaire de sa naissance. Les fleurs en rosette, groupées en bouquets réguliers, revêtent un brillant écarlate cramoisi à reflets plus sombres au cœur. Fleurs et feuilles résistent bien aux intempéries. Le feuillage, jeune, est teinté de rouge, puis vire au vert sombre à reflet pourpré, presque noir. Parfaite en massif, cette variété peut également former des haies basses.
Taille *60 cm x 75 cm*
Obtenteur *Kordes, Allemagne, 1986*
Parents *Tornado x Redgold*
Léger parfum

Variété proche *Florian*
Une profusion de fleurs sur un feuillage très sain.
Taille *60 cm x 70 cm*

Trumpeter *page 73*

Synonyme *MACtru*
Cette rose a été ainsi nommée en l'honneur du célèbre trompettiste de jazz Louis Armstrong, à qui 'Satchmo', l'un des parents de 'Trumpeter', était déjà dédié. Les capiteuses fleurs écarlate luisant sont portées en vastes bouquets chargés, sur un arbuste touffu, presque étalé, court à moyen. Cette bonne variété à massifs demande à être plantée en lisière d'une mixed-border, où sa couleur contrastera joliment avec des vivaces bleues.

Épanoui de juin aux premières gelées, 'Trumpeter' est incomparable au jardin.
Taille *60 cm x 60 cm*
Obtenteur *McGredy, Nouvelle-Zélande, 1977*
Parents *Satchmo x semis*
Léger parfum

Variété proche *Matthias Meilland (syn. MEIfolio)*
Floraison ininterrompue, rouge vif.
Taille *60 cm x 80 cm*

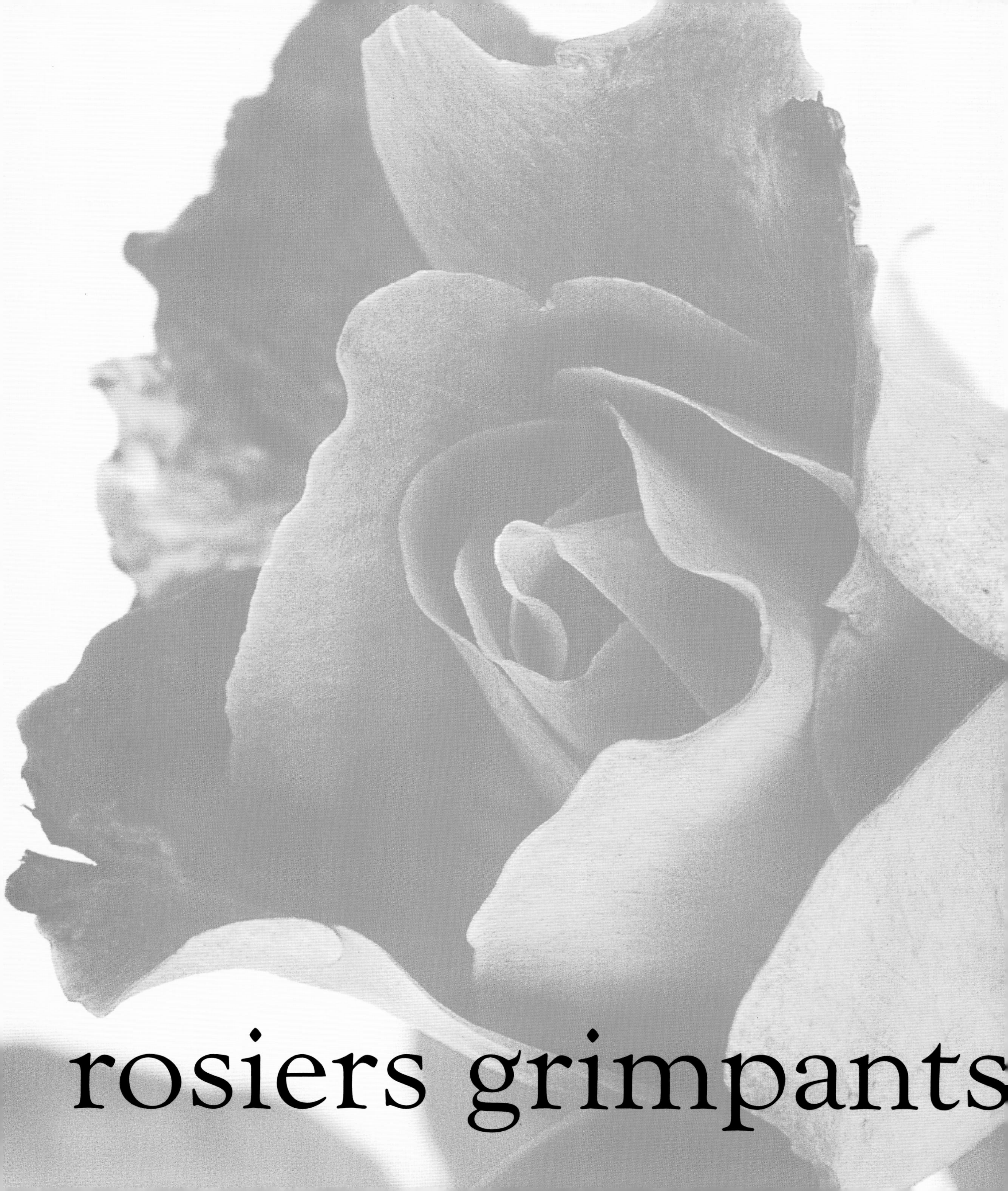

rosiers grimpants

Sunrise

À cultiver comme un petit grimpant,
ou un arbuste à port souple.

Variété proche
Opaline

Warm Welcome

Fleurs d'un rare éclat (ici, une fois et demie plus grandes que nature) ressortant bien sur le feuillage vert foncé.

Nice Day

Les fleurs au doux parfum sont parfaitement formées.

Variété proche

Petit Bonheur

Compassion

L'un des meilleurs grimpants modernes, vigoureux et parfumé.

Madame Alfred Carrière

Il entame son second siècle d'existence et reste l'un des rosiers grimpants les plus populaires.

Swan Lake

Particulièrement beau dans les soirées d'arrière-automne.

Dreaming Spires

Ses grandes fleurs or, semi-doubles, sont très odorantes.

Variété proche
Dune

Joseph's Coat

Se cultive aussi bien en grimpant qu'en arbuste.

Summer Wine

Vigoureux rosier aux fleurs superbement colorées
et délicatement parfumées.

Variété proche Arielle Dombasle

Laura Ford

La netteté de ses fleurs répond à la régularité de ses bouquets.

Mermaid

Célèbre rosier ancien à fleurs simples, à la fois vigoureux et élégant.

Altissimo

Ses églantines en coupe charment tous les amateurs de fleurs simples.

Tradition

Vigoureux grimpant qui remplacera les vieux rosiers sarmenteux sur les murs, palissades, treillages, pergolas et hauts piliers.

Variétés proches

Messire Delbard
Red Parfum

Danse du Feu

Grimpant populaire datant du milieu du XXe siècle, qui supporte la mi-ombre.

Agatha Christie

Il peut être employé comme grimpant ou arbuste à port souple, au choix ; grandes fleurs en coupe rose tendre.

Variété proche

Zéphirine Drouhin

Penny Lane

Élégant grimpant moderne, sans doute destiné à rester longtemps populaire.

Grand Hôtel

Ses fleurs doubles cramoisies s'épanouissent tout l'été et l'automne sur un feuillage bronze.

Little Rambler

De grands bouquets de fleurs (au moins deux fois plus grandes qu'ici) couvrent la silhouette buissonnante de cette remarquable variété.

Variété proche
Narrow Water

Handel

Une fleur parfaitement ourlée, blanc et rose foncé.

rosiers grimpants

Au début du XXe siècle, la plupart des rosiers grimpants n'étaient que des mutations de formes à massifs ou buissonnantes. On les répertoriait sous des noms tels que 'Climbing Crimson Glory', c'est-à-dire forme grimpante du buisson 'Crimson Glory'. En outre, jusqu'à une époque récente, la majorité des grimpants ne s'épanouissaient que durant quelques semaines, en mai-juin. Les souples sarmenteux, hérités de la fin du XVIIIe siècle, fleurissaient comme des fous, mais encore moins longtemps – deux à trois semaines – avant de produire une masse de nouvelles pousses, aptes à fleurir l'année suivante. Rares sont les sarmenteux encore présents qui conviennent à de petits jardins.

Il existait également quelques grimpants inclassables, qui se révélaient d'emblée remontants. Il en reste fort peu et un ou deux figurent dans ces pages. Les catalogues et Jardineries actuels offrent encore quelques non-remontants, mais, dans l'ensemble, les grimpants les plus répandus sont remontants. Comme ils fleurissent sur le bois de l'année, ils demandent peu ou pas de taille pour produire leurs superbes inflorescences.

Les tout récents grimpants miniatures sont taillés sur mesure pour les petits jardins, où ils trouvent facilement place. Obtenus en Grande-Bretagne dans les années 1980-90 par Chris Warner, ils représentent l'une des nouveautés majeures dans le monde moderne de la rose. Les fleurs, proportionnées à la taille et au feuillage des arbustes, naissent en bouquets et, ce qui est très appréciable, elles couvrent la plante de la tête aux pieds. Il est rare de trouver un grimpant miniature sans fleurs entre le début de l'été et l'arrière-automne. Employés pour combler les espaces réduits sur des murets, ils atteignent 90 cm de large et 5 m de haut. On peut également en garnir les grands bacs et les vasques, ou les pylônes et les pergolas, voire les installer en arbustes libres dans de petits parterres.

Agatha Christie *page 102*

Synonymes *KORmeita ; Ramira*

Dédié, en 1990, au célèbre auteur de romans policiers pour le centenaire de sa naissance, c'est une plante vigoureuse d'environ 2,50 m de haut, au solide feuillage luisant vert moyen. Les gros boutons rose tendre de type hybride de Thé éclosent presque continuellement de juin à l'arrière-automne en coupes pleines, parfumées. La plante se régénère d'elle-même par de nombreuses pousses basales qui permettent de retirer les rameaux âgés avant qu'ils ne s'affaiblissent et n'enlaidissent.

Grimpant précieux pour former des éventails sur des murs diversement exposés, garnir des obélisques et pylônes ou devenir un arbuste libre au port flou.

Taille *2,50 m-3 m*

Obtenteur *Kordes, Allemagne, 1990*

Parfumé

Variété proche *Zéphirine Drouhin*

Florifère et remontant, très parfumé.

Taille *3-4 m*

Altissimo *page 100*

Synonymes *DELmur ; Altus, Sublimely Single*

Pour les passionnés d'églantines. Les boutons cramoisi foncé, de type hybride de Thé, s'ouvrent en larges coupes cramoisi chaud à étamines or profond.

Ses tiges raides, érigées, peuvent atteindre 4 m de haut, mais gagnent à être arquées à l'horizontale pour donner des fleurs sur toute leur longueur.

'Altissimo' peut également être conduit comme vigoureux arbuste érigé en rabattant les charpentières à la hauteur désirée. Elles produisent alors de nombreux rejets, porteurs de gros bouquets de superbes fleurs.

Taille *3-4 m*

Obtenteur *Delbard-Chabert, France, 1966*

Parents *Ténor* **x** *semis*

Léger parfum

Compassion *page 94*

Synonyme *Belle de Londres*

Un des meilleurs grimpants modernes. Il porte des fleurs solitaires ou en bouquets de type hybride de Thé. Grandes, parfumées, elles sont saumon souvent teinté d'abricot.

C'est le rosier idéal pour un petit jardin ne pouvant accueillir qu'un seul grimpant. Il y sera palissé en éventail sur un mur ou une palissade, conduit sur un pylône ou une obélisque, ou sur une pergola. Il fleurit longuement – on a pu cueillir des fleurs à Noël.

Taille *2,50 m-3 m*

Obtenteur *Harkness, G.-B., 1973*

Parents *White Cockade* **x** *Prima Ballerina*

Très parfumé

Danse du Feu *page 101*

Synonymes *Spectacular, Mada*

L'un des premiers grimpants modernes remontants. Ses boutons ovales, rouge très sombre, s'ouvrent écarlates à reflets orangés, virent au rouge plombé avant de faner. Longuement épanoui, il produit ses bouquets au milieu d'un feuillage vert bronze, luisant. Ce solide rosier supporte la mi-ombre, mais est sensible au marsonia.

Taille *2,50 m-3 m*

Obtenteur *Mallerin, France, 1953*

Parents *Paul's Scarlet Climber* **x** *semis*

Parfumé

Dreaming Spires *page 96*

Les boutons jaune d'or foncé donnent de grandes fleurs semi-doubles, très odorantes ; dorées, elles virent à l'abricot clair en vieillissant. L'arbuste, élevé, dressé, est recouvert de feuillage vert foncé. Palissé en éventail, il vous remerciera en produisant tout l'été et jusqu'en automne une grande quantité de fleurs le long des branches.

Il a été obtenu par croisement d'un rosier buisson élancé avec un Floribunda vigoureux.

Taille *4-5 m*

Obtenteur *Mattock, G.-B., 1973*

Parents *Buccaneer* **x** *Arthur Bell*

Très parfumé

Variété proche *Dune (syn. DELgrim)*

Grand Hôtel *page 103*

Synonyme *MACtel*

Élégant grimpant rouge soutenu, fleuri continuellement tout l'été et l'automne. Les fleurs doubles, cramoisies, ornées

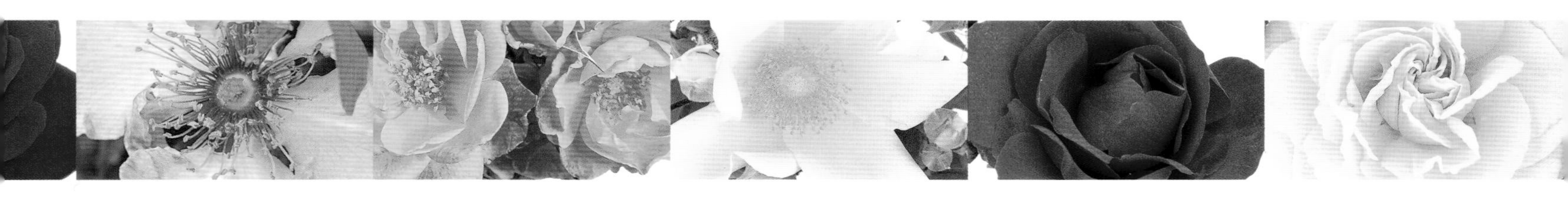

de jolies nuances, forment une coupe régulière. Les bouquets sont portés par une plante robuste, bien ramifiée, offrant un joli spectacle sur une palissade. Il supporte une exposition nord, ce qui le rend précieux. Sa taille est moyenne et on le maintient aisément sous forme d'arbuste régulier, pour un fond de mixed-border. Son feuillage vert bronze est luxuriant.

Taille *2,50 m-3 m*
Obtenteur *McGredy, G.-B., 1972*
Parents *Brilliant* x *Heidelberg*
Léger parfum

HANDEL *page 104*

Synonyme *MACha*

Ses petits boutons bien formés, de type hybride de Thé, sont si parfaits qu'ils servent souvent de modèle en fleuristerie. Leur couleur peut varier avec le climat. Ils sont d'ordinaire crème lavé d'un ton cerise clair qui s'étend à toute la fleur, au cours de l'épanouissement, l'ourlet, frisé, restant plus foncé.

C'est un arbuste dressé couvert de feuillage vert foncé et portant sans arrêt en été et en automne ses bouquets de fleurs. Il se prête à la culture sur murs, arceaux et pylônes. On peut même, en le rabattant, en faire un arbuste moyen.

Taille *2,50 m-3 m*
Obtenteur *McGreedy, G.-B., 1965*
Parents *Columbine* x *Heidelberg*
Léger parfum

JOSEPH'S COAT *page 96*

Plante moyenne utilisable comme arbuste. Comme son nom (manteau de Joseph) le sous-entend, il revêt des couleurs multiples, dues à son ancêtre, le classique Floribunda 'Masquerade'. Les pétales étalés des fleurs semi-doubles offrent divers tons d'or, d'orange et de rouge. Comme leurs bouquets s'épanouissent en cascade, l'effet de camaïeu est encore accentué.

Pour obtenir la meilleure floraison sur un sujet traité comme grimpant, conduisez les charpentières en éventail tôt et palissez ses branches aussi horizontalement que possible.

Taille *2 m-2,50 m*
Obtenteur *Armstrong et Swim, États-Unis, 1964*
Parents *Buccaneer* x *Circus*
Léger parfum

LAURA FORD *page 98*

Synonyme *CHEWarvel*

Grimpant miniature. Les élégants petits boutons évoquent ceux d'hybrides de Thé ; jaune tendre ombré d'or, ils foncent avec l'épanouissement. La netteté de ces boutons floraux se reflète dans celle des bouquets, comportant de cinq à dix fleurs, et dans celle du feuillage vert clair, sain et abondant. Plante parfaite sur un pylône ou étalée sur un treillage.

La taille de ses feuilles et de ses fleurs bien dessinées et robustes en fait une variété remarquable utilisable à toutes les expositions.

Taille *2,50 m–3 m*
Obtenteur *Warner, G.-B., 1989*
Parents *(Anna Ford* x *Elizabeth of Glamis)* x *(Golden Bay* x *Sutter's Gold)*
Parfumé

LITTLE RAMBLER *page 104*

Synonymes *CHEWramb ; Baby Rambler*

Grimpant miniature. Les petits boutons arrondis, à peine rosés, éclosent en rosettes aux très nombreux pétales. Les énormes bouquets recouvrent cet arbuste touffu, dont les souples charpentières peuvent monter à 2 m sur une plante adulte.

L'abondant feuillage, sain, luisant, est bien proportionné aux fleurs. Son parfum marqué achève d'en faire une variété utile dans les jardins réduits.

Taille *2 m*
Obtenteur *Warner, G.-B., 1995*
Parents *(Cécile Brunner* x *Baby Faurax)* x *(Marjorie Fair* x *Nozomi)*
Très parfumé

Variété proche *Narrow Water*
Très florifère, même en situation ombragée, ses fleurs sont plus larges que celles de 'Little Rambler'.

MADAME ALFRED CARRIÈRE *page 95*

C'est l'un des rares rosiers Noisette encore en culture. En 1908, on en parlait comme du « meilleur grimpant blanc ».

Puissant et vigoureux, il peut atteindre 6 m de haut et demande de la place, sur un mur, tant en hauteur qu'en largeur ; ses minces tiges souples peuvent cependant habiller facilement une pergola ou une palissade.

Son feuillage vert tendre, assez léger, est abondant, comme ses pousses claires, qui lui donnent l'air d'une plante fragile, alors qu'il est vigoureux et supporte l'ombre d'un mur au nord. Ses fleurs pleines, globuleuses, sont blanc crème très pâle à reflet rosé ; une touche d'or à la base des pétales leur donne un aspect irisé.

Taille *jusqu'à 6 m*

Obtenteur *Schwartz, France, 1879*

Délicieuse odeur de thé

Mermaid *page 99*

Célèbre rosier ancien qui demande un emplacement bien choisi dans un petit jardin, car il peut dépasser 6 m de haut ; il supporte cependant la taille, qui le ramènera à des proportions plus modestes. Nous l'avons inclus ici, car de nombreux jardiniers ne peuvent se passer du charme de ses églantines et lui feront toujours une place. Ses fleurs parfumées, jaune soufre, de 12 à 15 cm de diamètre, s'ouvrent largement pour révéler un bouquet d'étamines restant belles même après la chute des pétales.

'Mermaid' porte d'énormes crochets recourbés, prêts à agripper le promeneur sans méfiance. Raison de plus pour le placer judicieusement. Le feuillage particulier, luisant, est une autre caractéristique de cette variété.

Bien qu'il tolère l'exposition au nord, 'Mermaid' peut être rabattu par un froid sévère (sa robuste constitution lui permet malgré tout de se reformer vite). Il démarre tard mais reste encore fleuri en arrière-automne.

Taille *jusqu'à 6 m*

Obtenteur *Paul, G.-B., 1918*

Parents *R. bracteata* **x** *rosier Thé jaune*

Très parfumé

Nice Day *page 93*

Synonyme *CHEWsea*

L'un des plus ravissants grimpants miniatures à petites fleurs. La forme parfaite des corolles rose saumon lumineux s'accompagne d'un doux parfum. Écloses en gros bouquets bien formés tout l'été et l'automne, elles peuvent perdre de leur éclat si la plante est installée au soleil brûlant ; c'est le sujet idéal pour l'ombre légère, où les fleurs garderont toute leur fraîcheur.

Le feuillage vert moyen, luisant, est légèrement cuivré au développement et met particulièrement bien en relief la floraison. Dans son jeune âge, la plante peut rester buissonnante, mais elle devient ensuite un vrai grimpant, qui justifie bien un peu d'attente.

Taille *2 m-2,50 m*

Obtenteur *Warner, G.-B., 1992*

Parents *Seaspray* **x** *Warm Welcome*

Très parfumé

Variété proche *Petit Bonheur (syn. ADAcecmar)* Très florifère, à petites roses pompons.

Penny Lane *page 103*

Synonyme *HARdwell*

Bien que très modernes par leur forme élégante et leur abondance, ses fleurs à peine rosées ou dorées ont le charme des roses anciennes. Les délicats tons rose tendre que révèle le cœur de la corolle épanouie sont bien mis en valeur par le feuillage luisant, vert foncé. Les fleurs sont tantôt en larges bouquets, tantôt solitaires. Elles sont parfaites en vase, grâce à leur matière robuste.

Dotée de tiges assez souples, la plante est vigoureuse et, bien que commercialisée depuis peu, a déjà beaucoup d'amateurs. Supportant l'ombre légère, elle est parfaite sur les arceaux, pylônes, murs et pergolas.

Taille *2,50 m-3 m*

Obtenteur *Harkness, G.-B., 1998*

Parents *New Dawn* **x** *semis*

Parfumé

Summer Wine *page 97*

Synonyme *KORizont*

Superbe grimpant dans les tons de corail lumineux et rose saumon. À l'éclosion, les fleurs semi-doubles dévoilent un bouquet d'étamines rouges couronnées d'anthères dorées. Avec l'âge, la fleur perd ses reflets orange doré pour ne garder que les nuances saumon, très belles. Pour conserver les vifs tons de jeunesse dans un bouquet, coupez des

tiges aux boutons encore serrés pour les laisser s'ouvrir à l'intérieur de la maison. Ils garderont alors forme et couleurs. 'Summer Wine' éclôt jusqu'en automne si on supprime les fleurs fanées, mais, si on laisse les dernières fleurs d'été, on obtient des baies joliment colorées, qui tiendront encore en hiver.

Vigoureuse, la plante est assez souple pour être conduite en éventail ou garnir pylônes ou obélisques. Elle est parfaite sur de grands arceaux ou trépieds et son parfum est un attrait supplémentaire.

Taille *4 à 5 m*
Obtenteur *Kordes, Allemagne, 1984*
Très parfumé

Variété proche *Arielle Dombasle (syn. MEIhourag)*
Remontant à floraison précoce.
Taille *4 m et plus*

SUNRISE *page 91*

Synonymes *KORmarter ; Freisinger Morgenrote, Morgenrote*

Les fleurs doubles, moyennes, naissent en bouquets sur un arbuste de vigueur modérée. Il est parfois conduit comme un arbuste évasé, portant des gerbes dont les proportions sont spectaculaires.

Les fleurs orange doux, largement lavées de rouge cuivré, dégagent un subtil parfum. Il existe peu de bons grimpants de ce coloris, d'où sa popularité. Dans un petit jardin, il trouvera sa place sur des murs bas, des arceaux et des pylônes. L'abondant feuillage est vert bronze.

Taille *2,50 m*
Obtenteur *Kordes, Allemagne, 1994*
Parents *Lichkonigen Lucia* × *semis*
Doux parfum

Variété proche *Opaline (syn. EVEpali)*
Plus élevé que 'Sunrise', il est extrêmement florifère jusqu'à l'automne.
Taille *2,50 m à 3 m*

SWAN LAKE *page 95*

Synonyme *Schwanensee*

Les grandes fleurs parfumées, bien formées, naissent en bouquets sur de longues tiges. Cet arbuste grimpe bien sur les murs, à diverses expositions, est parfait sur pylônes, arceaux et obélisques et ses longues tiges peuvent aussi aller en vase, où les fleurs tiendront longuement. Il est remarquable en automne, où ses pâles corolles évanescentes donnent le meilleur effet en fin d'après-midi.

Taille *2 m-2,50 m*
Obtenteur *McGredy, G.-B., 1968*
Parents *Memoriam* × *Heidelberg*
Parfumé

TRADITION *page 100*

Synonymes *KORkeltin ; Tradition 95*

Vigoureux grimpant aux tiges souples, il peut remplacer les sarmenteux rouges non remontants. Ses fleurs cramoisies semi-doubles éclosent en énormes bouquets, tout l'été et l'automne. Très prolifique, il peut servir à des effets de masse sur des murs de toutes tailles, sur des palissades où il pourra courir à l'horizontale, sur des pergolas ; il habillera aussi de petits bâtiments. Ne donnez à 'Tradition' qu'une taille légère, de formation, et laissez-le émettre ses repousses porteuses de fleurs.

Taille *4 m-5 m*
Obtenteur *Kordes, Allemagne, 1995*
Parfumé

Variétés proches
Messire Delbard (syn. DELsire)
Grimpant robuste, bien remontant.

Red Parfum (syn. EVErepa)
Très florifère, avec un pafum puissant.

WARM WELCOME *page 92*

Synonyme *CHEWizz*

Grimpant miniature unique dans sa catégorie. Ses fleurs semi-doubles, odorantes, en bouquets, habillent la plante de pied en cap. Orange à reflets vermillon, elles présentent, à la base des pétales, une zone dorée qui souligne le pompon d'étamines. Le jeune feuillage rouge bronze tourne au vert et sert d'écrin aux fleurs remarquables portées par des tiges prune foncé. L'arbuste, dressé, de haute taille, est superbe sur pylônes, mais convient aussi bien aux murs, palissades et arceaux.

Taille *2,50 m-3 m*
Obtenteur *Warner, G.-B., 1992*
Parents *Elizabeth of Glamis* × *[(Galway Bay* × *Sutters Gold)* × *Anna Ford]*
Parfumé

rosiers couvre-sols

Opalia

L'un des rosiers à massifs blancs contemporains les plus remarquables.

Emera

La résistance aux maladies de ce rosier lui a valu son succès mondial.

St. Tiggywinkle

Vigoureux rosier couvre-sol dont les fleurs rose clair sont soulignées par le luisant feuillage vert vif.

Variété proche
Tapis Volant

Playtime

Son feuillage et ses fleurs simples à cinq pétales révèlent son ascendance de *Rosa rugosa*.

Pyrénées

La plante est entièrement couverte de bouquets parfaits de fleurs blanches (ici, cinq fois plus grandes que nature), très résistantes aux intempéries.

Gwent

Excellent rosier jaune, aux tiges étalées (représenté ici deux fois plus grand que nature).

Variété proche
Bordure d'Or

Vent d'Été

Célèbre rosier couvre-sol, l'un des plus accommodants (ici, quatre fois plus grand que nature).

Berkshire

Arbuste étalé bien garni de feuillage luisant (ici, moitié moins grand que nature).

Variété proche
Fuchsia Meillandécor

The Fairy

Cet arbuste étalé, touffu (ici, presque deux fois plus grand que nature), est un grand classique.

Wiltshire

Même après les premiers frimas d'automne, c'est encore une masse de couleurs.

Variété proche
Anadia

Lancashire

Arbuste particulièrement couvrant à la riche couleur vive.

Variété proche
Fairy Damsel

Oxfordshire

Vigoureux arbuste couvrant bien le sol tout en restant bien touffu.

Variété proche
Castor

rosiers couvre-sols

Il fut un temps où l'on désignait ceux des rosiers buissons qui présentaient un port rampant et étalé comme « couvre-sols ». Nombre de ces variétés, issues souvent de *Rosa wichurana,* étaient fréquemment employées pour couvrir la terre le long des routes et dans les grands parcs. Malheureusement, ils étaient généralement non remontants. Ce n'est que dans la seconde moitié du xxe siècle que les nouveaux rosiers couvre-sols, fruits de l'intérêt attentif des obtenteurs, firent leur apparition.

Ce qui rend ces couvre-sols si remarquables pour les petits jardins, c'est qu'ils s'étalent sur 1 m environ et fleurissent durant toute la saison, de juin jusqu'à ce que les premiers froids mettent fin au spectacle. Ils sont souvent lancés par séries entières – telle que la série County, en Grande-Bretagne, en 1988, suivie dans les années 90 par les séries Verdia – et mis sur les marchés australien et européen à grand renfort de campagnes publicitaires.

Ces couvre-sols sont excellents en plates-bandes et massifs et très utiles sur les talus, surtout quand la pente est trop forte pour installer des rosiers plus érigés. Ce sont également de bons sujets pour les grands bacs et les jardinières, d'où leurs rameaux rampants retombent et adoucissent les bords anguleux. Les formes les plus prostrées ont aussi servi avec bonheur dans les corbeilles suspendues, groupées par trois ou quatre dans un panier de 30 à 35 cm de diamètre. Avec des soins attentifs – des arrosages quotidiens en plein été et des apports hebdomadaires d'engrais riches en potasse –, une corbeille suspendue de rosiers durera deux ou trois saisons avant qu'il soit nécessaire de la changer.

Berkshire *page 116*

Synonymes *KORpinka ; Sommermarchen, Pink Sensation, Summer Fairy Tales, Xenia*
Variété très étalée, gagnant chaque année en popularité, d'où ses nombreuses appellations, indiquant qu'elle est cultivée dans de nombreux pays.

Ses fleurs parfumées, bien formées, en gros bouquets, s'ouvrent à plat, ses pétales rouge cerise brillant dévoilant un bouquet proéminent d'étamines dorées. Elles apparaissent sur de longues tiges arquées recouvertes de feuilles luisantes vert sombre, particulièrement résistantes aux maladies.

C'est l'un des premiers rosiers couvre-sols à s'épanouir, et il fournit toute la saison un nuage de chaude couleur. C'est vraiment une excellente variété.

Taille *120 cm* x *60 cm*
Obtenteur *Kordes, Allemagne, 1993*
Parents *Weisse Immensee* x *semis*
Parfumé
Convient aux potées

Variété proche *Fuchsia Meillandécor (syn. MEIpelta)*
Port souple et abondante floraison remontante.

Emera *page 112*

Synonymes *NOAtraum ; Blooming Carpet, Emera Pavement, Flower Carpet, Heidetraum, Pink Flower Carpet*
Bon rosier couvre-sol, qui a été couvert de louanges excessives. Sa couleur rose vif est un peu criarde et sa floraison bien tardive pour sa catégorie. Cependant, il ne demande aucun nettoyage, et apparemment ne s'en porte pas plus mal. Son feuillage coriace, vert foncé, est aussi résistant aux maladies que celui de n'importe quel rosier placé dans de bonnes conditions.
Taille *90 cm* x *60 cm*
Obtenteur *Noack, Allemagne, 1989*
Parents *Immensee* x *Amanda*
Léger parfum
Convient aux potées

The Fairy *page 117*

Synonymes *Fairy, Féerie*
Jolie variété même lorsqu'elle n'est pas fleurie, très utile car sa saison démarre quelques semaines après celle des autres variétés. Une fois qu'il a commencé à s'épanouir, ce charmant rosier est surchargé d'étages successifs de bouquets de fleurs en pompon rose tendre. Comme de nombreux arbustes remontants, 'The Fairy' peut être restreint et maintenu en forme par une taille judicieuse, ce qui lui offre de nombreux emplois au jardin : comme couvre-sol, en rideau retombant du haut d'un muret ou d'un talus, pour remplir un parterre sur une terrasse ou garnir un grand bac. Il forme également de remarquables rosiers pleureurs.
Taille *120 cm* x *90 cm*
Obtenteur *Bentall, G.-B., 1932*
Parfum discret ou absent
Convient aux potées

Gwent *page 115*

Synonymes *POUlurt ; Aspen, Gold Magic Carpet, Sun Cover*
Les fleurs en coupe, doubles, sont jaune vif à l'éclosion puis passent au crème tendre, donnant un effet général bicolore à maturité. L'arbuste, étalé, bien revêtu de feuilles coriaces, d'un vert foncé luisant, est moins envahissant que certains couvre-sols. Il peut avec bonheur être employé en paniers suspendus.
Taille *90 cm* x *45 cm*
Obtenteur *Poulsen, Danemark, 1992*
Léger parfum
Convient aux potées

Variété proche *Bordure d'Or (syn. DELbojaun)*
Plus compact que Gwent, il est très florifère.

Lancashire *page 118*

Synonyme *KORstegli*
Comme on pourrait s'y attendre, le nom de 'Lancashire' s'applique à une rose rouge, évoquant celle qu'avaient choisie les Lancastre comme emblème durant la guerre des Deux-Roses. Cette variété, pourtant, est bien différente et

réellement très couvrante, ses fleurs doubles rouge cerise s'épanouissant en bouquets élégants qui se succèdent durant tout l'été et l'automne.

'Lancashire' est un excellent couvre-sol rampant. Son port le désigne également pour la culture en pot – il est particulièrement beau retombant le long de grands bacs –, ainsi que pour les corbeilles suspendues. Il forme un remarquable rosier pleureur, fleuri toute la saison.

Taille *90 cm* x *60 cm*
Obtenteur *Kordes, Allemagne, 1998*
Convient aux potées

Variété proche *Fairy Damsel (syn. HARnealty)*

Opalia *page 111*

Synonymes *NOAschnee ; Emera blanc, Schneeflocke, White Flower Carpet*

C'est l'un des rosiers bas à massifs les plus populaires et les plus beaux parmi les blancs, grâce à son port compact, net, bien couvrant. Quand il est bien établi, ses bouquets de fleurs peuvent atteindre des dimensions spectaculaires. Blanc pur, de grande taille pour le volume de l'arbuste, ses corolles forment des coupes, à pleine éclosion, et dévoilent joliment les étamines.

La densité de l'arbuste le rend idéal pour une plantation en masse, mais il convient aussi pour garnir de petits massifs sur une terrasse ou des potées. Son feuillage vert foncé, très luisant, ajoute à son charme.

Taille *60 cm* x *60 cm*
Obtenteur *Noack, Allemagne, 1991*
Parents *Immensee* x *Margaret Merrill*
Parfumé
Convient aux potées

Oxfordshire *page 119*

Synonymes *KORfullwind ; Sommermorgen, Baby Blanket, Summer Morning*

C'est l'un des meilleurs de la série obtenue par l'allemand Kordes. Ses corolles en coupe rose pâle éclosent en bouquets sur un vigoureux arbuste touffu. La plupart des pétales portent la bordure frisée caractéristique de la série County.

Cette superbe variété, bien couvrante, couverte de feuilles vert brillant, résistantes aux maladies, est parmi les plus vigoureuses.

Taille *150 cm* x *60 cm*
Obtenteur *Kordes, Allemagne, 1991*
Parents *Vent d'Été* x *semis*
Léger parfum
Convient aux potées

Variété proche *Castor (syn. BARcast)*
Port souple, très florifère.

Playtime *page 113*

Synonymes *KORsaku ; Roselina*

C'est un couvre-sol un peu particulier : son feuillage, ses épines et son type de fleurs trahissent sa parenté avec *Rosa rugosa*. À la différence de nombreux hybrides de *R. rugosa*, cependant, il reste stérile, mais, en contrepartie, fleurit sans arrêt. Ses églantines simples à cinq pétales apparaissent en bouquets sur un buisson solide et sain qui forme vite une masse. Superbe, il trouve son emploi dans les jardins de toutes tailles.

Taille *90 cm* x *90 cm*
Obtenteur *Kordes, Allemagne, 1995*
Convient aux potées

Pyrénées *page 114*

Synonymes *POULcov ; Kent, Sparkler, White Cover*

C'est l'une des meilleures plantes couvre-sols qui soient. Il a été décrit tantôt comme buisson nain étalé, tantôt comme Floribunda pour parterre et tantôt comme couvre-sol. Quelle que soit sa classification, il trouvera une multitude d'emplois. Comme buisson nain, il est très beau isolé parmi d'autres arbustes bas, ou comme vedette d'un parterre. En massifs, il fait bel effet en masse. Dans les petits jardins, il a sa place partout, même en haie basse.

Ses gros bouquets de fleurs semi-doubles, d'un blanc pur, ont une jolie forme et s'harmonisent élégamment

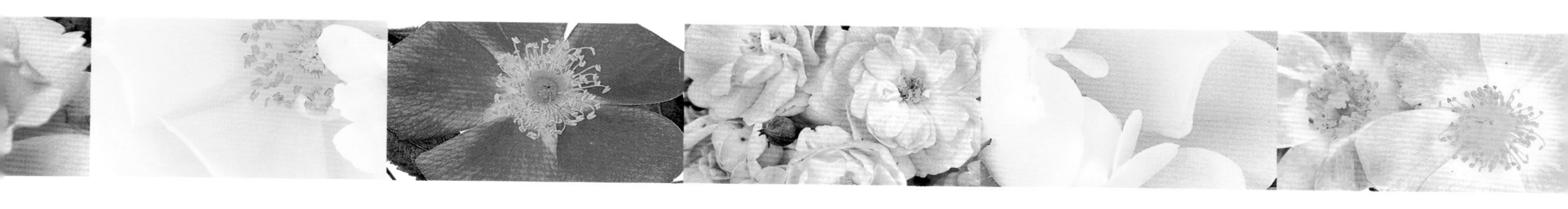

avec la silhouette arrondie, trapue, de l'arbuste. Les corolles résistent remarquablement aux intempéries et, en pleine saison, recouvrent à ce point la plante qu'on aperçoit à peine le feuillage. Il garde ensuite cette abondante floraison qui en fait une excellente plante dans toutes les situations.

Taille *75 cm* x *75 cm*
Obtenteur *Poulsen, Danemark, 1988*
Léger parfum
Convient aux potées

St. Tiggywinkle *page 113*

Synonymes *KORbasren ; Pink Bassimo*
Autre rosier couvre-sol très vigoureux, avec de fraîches fleurs rose frais au centre blanc proéminent, soulignant le pompon d'étamines dorées. Leurs bouquets, éclos sans arrêt tout au long de l'été et de l'automne, sont bien mis en relief par le foisonnant feuillage vert vif luisant.

Son nom britannique vient d'un personnage de Beatrix Potter, célèbre illustratrice de livres pour enfants. Cet arbuste très couvrant est une perle pour les petits jardins.

Taille *120 cm* x *90 cm*
Obtenteur *Kordes, Allemagne, 1998*
Parents *semis de* Rosa wichurana x *Robin Redbreast*
Convient aux potées

Variété proche *Tapis Volant (syn. LENplat)*
Port étalé et floraison continuelle.

Vent d'Été *page 115*

Synonymes *KORlanum ; Sommerwind, Surrey*
Plutôt élevé pour sa catégorie de couvre-sols, 'Vent d'Été' est assez apprécié. C'est un excellent choix pour former de vastes taches dans les massifs et bordures ; isolé, il conviendra à de petits espaces ou entrera dans des massifs d'arbustes en mélange ou des mixed-borders.

Ses fleurs doubles, en coupe, ont un joli bord frisé qui apparaît à l'éclosion et forment une véritable masse rose tendre, naissant en bouquets tout au long de l'été et de l'automne.

Sans taille, c'est un buisson couvrant haut et large, qui peut former des haies remarquables, mais qui dans un petit jardin demande que l'on réfléchisse bien à son emplacement, car il peut se révéler écrasant.

Taille *120 cm* x *90 cm*
Obtenteur *Kordes, Allemagne, 1988*
Parents *The Fairy* x *semis*
Léger parfum
Convient aux potées

Wiltshire *page 118*

Synonyme *KORmuse*
C'est un couvre-sol qui fleurit très longuement. Ses tiges, couvrantes, étalées, constituent une véritable masse rose, même après que les premiers froids ont gommé toute couleur du reste du jardin.

Ses fleurs semi-doubles éclosent en bouquets et donnent un effet étagé, car elles repoussent continuellement, les nouvelles venues recouvrant leurs aînées. Ses rameaux sont assez souples pour faire de 'Wiltshire' un sujet idéal à planter en haut d'un muret ou dans une grande jardinière, d'où ils retomberont.

Taille *90 cm* x *60 cm*
Obtenteur *Kordes, Allemagne, 1993*
Parents *Partridge* x *semis*
Parfum discret
Convient aux potées

Variété proche *Anadia (syn. MEIrameca)*
Port étalé et très compact. Très florifère.

rosiers buissons

Cornelia

Un des hybrides de Moschata (représenté ici trois fois plus grand que nature) les plus populaires, obtenu en 1920 par le révérend Joseph Pemberton.

Cécile Brunner

Ses fleurs sont de précieux joyaux,
moitié moins grands qu'ici.

Golden Wings

Beaucoup voient en elle la plus
belle des roses simples.

Tumbling Waters

Petit arbuste étalé aux toutes petites fleurs parfumées, parfait en pot ou sur terrasse.

Rose De Rescht

Remarquable Portland rapporté de Perse dans les années 30.

Ballerina

Gros bouquets ronds d'élégantes fleurs légères, presque deux fois plus grandes qu'ici.

Frau Dagmar Hastrup

Hybride compact de *Rosa rugosa*, aux jolis fruits.

Jacques Cartier

Elle apporte le charme des roses anciennes
dans un petit jardin moderne.

Kordes' Robusta

Vigoureux, épineux et remontant, 'Kordes' Robusta' forme de bonnes haies de clôture.

rosiers buissons

Regroupés dans différentes catégories, rosiers anciens, rosiers botaniques et rosiers buissons modernes, on trouve une gamme illimitée d'arbustes. Distincts des rosiers à massifs, plus par leur port que par leurs origines, ces rosiers buissons peuvent être définis comme cultivables isolément, étant donné leur forme et leur silhouette, et pas obligatoirement en groupe. Fleurissant assez bas sur leurs branches, ils semblent, vus de profil, couverts de roses du sommet à la base, différant en cela des rosiers à massifs, faits pour être vus de dessus.

Tous ces rosiers buissons ne conviennent pas aux petits jardins, mais ceux que nous vous présentons ici et dans d'autres chapitres s'intègrent parfaitement à de modestes surfaces. Leur remontance et leur port assez réduit en font de précieux compagnons. Ces rosiers, qu'on peut définir, en gros, comme buissonnants, certes, mais ne tombant pas dans la catégorie des rosiers à massifs, peuvent entrer dans les mixed-borders, les haies, voire, pour certains, être conduits sur tige, grâce à leur port net et compact. En choisissant soigneusement les variétés, on trouve même des rosiers anciens pouvant convenir à nos petits jardins. Certains des moussus les plus courts, bien que non remontants, peuvent en faire partie, comme c'est le cas de 'Nuits de Young'. Si vous aimez le style « rose ancienne », voyez du côté des quelques Portland survivants, tels 'Jacques Cartier' et 'Rose De Rescht'. Les Portland, aux fleurs chiffonnées et aux tons pastel, dépassent rarement 90 cm de haut et fleurissent tout l'été et l'automne.

Chaque intitulé précise clairement dans quelle catégorie définie de buisson classer la variété décrite. Les récentes roses anglaises, qui sont également des buissons, ont droit à leur propre chapitre, de la page 136 à la page 145.

Ballerina *page 129*

Le nom même de ce splendide rosier évoque ses dansantes corolles simples dont les pétales rose clair sont bordés et ombrés de plus foncé. Elles sont groupées en gros bouquets arrondis qui rappellent des hortensias à grandes fleurs. L'arbuste, élégant, est garni jusqu'à terre d'un abondant feuillage vert moyen.

Cette variété accommodante peut être plantée isolément, en mixed-borders parmi des vivaces ou en roseraie. 'Ballerina' constitue également de bonnes haies, abondamment épanouies dès le début de saison et fleuries ensuite par vagues jusqu'au regain final annonçant l'arrivée de l'automne. Une fois les dernières fleurs fanées, l'arbuste se couvre d'un voile de petites baies délicates, ambre vif et rouge-orangé.

Classification *Buisson moderne remontant*
Taille *90 cm* x *90 cm*
Obtenteur *Bentall, G.-B., 1937*
Léger parfum

Cécile Brunner *page 126*

Synonymes *Madame Cécile Brunner, Mignon, Sweetheart Rose, Rose de Malte*

Les fleurs rose de Chine de 'Cécile Brunner', bien formées, doubles et parfumées, éclosent en bouquets légers portés par des tiges quasi dépourvues d'épines. Elles servent souvent dans des mini-compositions florales. L'élégant arbuste à port bas est parfait à l'avant d'une plantation, en roseraie comme en mixed-border. Le feuillage est réduit et, comme souvent chez les *Chinensis*, cuivré dans sa jeunesse. C'est une variété ancienne célèbre qui a produit un sport grimpant élevé et vigoureux. À l'achat, si vous désirez cette espèce, assurez-vous qu'il s'agit bien de cette forme courte ; certaines Jardineries proposent en effet une variété comparable mais plus imposante ('Bloomfield Abunbance') sous le nom erroné de 'Cécile Brunner'.

Classification *Chinensis, buisson remontant*
Taille *60 cm* x *60 cm*
Obtenteur *Ducher, France, 1881*
Léger parfum

Cornelia *page 125*

C'est l'un des plus connus parmi les hybrides de Moschata, obtenus vers 1920 par le révérend Joseph Pemberton. Le premier fut issu de Trier, variété blanche superbement parfumée de l'Allemand Lambert. Parmi les variétés encore diffusées de Pemberton figurent Felicia, Buff Beauty et Penelope.
Les fleurs de 'Cornelia' éclosent en bouquets portés par des cascades de branches retombantes, sans épines.
En rosette, elles sont petites à moyennes et joliment colorées d'un mélange d'abricot, de saumon, d'orange et de rose framboise. Le parfum est qualifié de « musqué », caractéristique de la puissante senteur qui fait tout le charme des hybrides de Moschata.

En plein épanouissement, 'Cornelia' est d'une remarquable beauté avec son manteau de feuillage légèrement teinté de rouge dans son jeune âge puis bronze foncé.

Classification *Buisson moderne, hybride de Moschata*
Taille *120 cm* x *120 cm*
Obtenteur *Pemberton, G.-B., 1925*
Très parfumé

Frau Dagmar Hastrup
page 129

Synonymes *Fru Dagmar Hastrup, Fru/Frau Dagmar Hartopp*

M. Hastrup a-t-il dédié son chef-d'œuvre à sa propre épouse (ou parente) ou à celle de M. Hartopp ? Le débat reste ouvert, mais, quelle que soit la vérité, son rosier continuera longuement sa carrière. C'est une excellente variété qui trouve vite une place dans n'importe quel jardin, petit ou grand. L'arbuste, net et compact, de hauteur moyenne, est couvert du feuillage plissé caractéristique des Rugosas.

Ses grandes fleurs simples, rose argenté doux, éclosent de mai à l'automne, et laissent place alors à une belle moisson de baies orange vif et rouges, appréciées des oiseaux qui les pillent parfois. Il forme de superbes haies basses et, comme de nombreux

Rugosas, drageonne abondamment. Si vous plantez des sujets greffés, enterrez le point de greffe.

Ce rosier remarquable est particulièrement beau quand il porte à la fois fleurs et fruits.

Classification *Buisson moderne, hybride de Rugosa*
Taille *90 cm* × *90 cm*
Obtenteur *Hastrup, Danemark, 1914*
Très parfumé

Golden Wings *page 126*

Excellente variété provenant des États-Unis, ce rosier aux églantines parfumées, citron très clair, est assez grand pour une variété à fleurs simples. À l'éclosion, il révèle des étamines sombres et, bien que fragile en apparence, il est à la fois robuste et résistant aux intempéries. Le nettoyage des fleurs fanées assurera la remontance durant tout l'été et l'automne.

L'arbuste, vigoureux et net, est épineux et ramifié, comme son ancêtre sauvage. Rustique et sain, il est tout indiqué pour les mixed-borders. On dit que les amateurs de roses, avec le temps, deviennent de plus en plus sensibles à la simplicité des églantines. Rien n'est plus vrai avec 'Golden Wings'.

Classification *Buisson moderne remontant*
Taille *120 cm* × *120 cm*
Obtenteur *Shepherd, États-Unis, 1956*
Parents *Sœur Thérèse* × *(*Rosa pimpinelifolia *var.* altaica × *Ormiston Roy)*
Parfum suave

Jacques Cartier *page 130*

Synonymes *Marchesa Bocella, Marquise Bocella*

Belle variété de type ancien, assez courte et compacte pour trouver place dans un petit jardin. Dressée, elle est robuste et ses fleurs éclosent en bouquets serrés durant une grande partie de l'été et de l'automne.

Rose tendre, elles sont très pleines et leur cœur, divisé en quartiers, leur confère la forme très en vogue à la fin du XIXe siècle et que nous recherchons chez les rosiers anciens. Le feuillage est d'abord vert tendre, puis doté de reflets bleutés en vieillissant.

C'est un rosier parfait pour donner un ton d'autrefois à nos petits jardins modernes ; il forme de bonnes haies ou s'intègre dans les mixed-borders.

Classification *Rosier ancien, Portland*
Taille *60 cm* × *110 cm*
Obtenteur *Desprez, France, 1842*
Très parfumé

Kordes' Robusta *page 131*

Synonyme *KORgosa*

Vigoureux buisson dressé aux rameaux couverts d'une masse d'aiguillons qui trahissent sa parenté avec *Rosa rugosa*. Ses fins boutons cramoisi sombre, presque noirs, éclosent en grandes corolles simples, cramoisi vif, avec un cœur d'étamines or. Les bouquets, bien formés, sont de bonne taille et apparaissent abondamment au long de l'été et de l'automne.

De port évasé, 'Kordes' Robusta' peut être assez grand. Taillé légèrement, il forme de bonnes haies de clôture, aux piquants offensifs. Taillé court, c'est un arbuste moyen. Le feuillage est vert foncé brillant.

Classification *Buisson moderne, remontant*
Taille *2-2,50 m*
Obtenteur *Kordes, Allemagne, 1979*
Parents Rosa rugosa × *semis*
Léger parfum

Rose De Rescht *page 128*

Petit arbuste dense apportant tout le charme des rosiers anciens aux petits jardins dans lesquels sa couleur inattendue et sa capacité à fleurir de juin à l'arrière-automne le rendent particulièrement précieux.

Ses corolles pleines forment un coussin arrondi, dans les tons fuchsia, entourant un bouton central de pétales incurvés, enfoui au cœur de la fleur et teinté de rouge et de pourpre.

L'arbuste, compact et plutôt érigé, est bien garni de feuilles vert foncé. En outre, 'Rose De Rescht' est un rosier facile à placer pour les amateurs de roses

anciennes qui n'ont pas beaucoup d'espace.

Classification *Rosier ancien, Portland*

Taille *jusqu'à 90 cm*

Introduit en Europe à la fin des années 30 par Miss Nancy Lindsay ; trouvé à Rescht, en Iran

Très parfumé

Tumbling Waters *page 127*

Synonyme *POULtumb*

Arbuste court, bien adapté à un petit jardin. Il fut un temps classé dans les rosiers à massifs (Floribunda), sans être assez ras pour faire partie des couvre-sols, malgré son nom, qui signifie en français « cascade ».

Ses épis floraux pyramidaux évoquent ceux de l'hybride 'Tumbling Waters' de *Saxifraga longifolia*, qui lui a donné son nom. Ses fleurs blanches semi-doubles s'étalent et dévoilent les étamines dorées. Les épis serrés partent dans toutes les directions. Dense, la plante est idéalement adaptée aux potées comme aux lisières de massifs et plates-bandes. Ce buisson est également excellent comme petit pleureur.

Classification *Buisson moderne remontant*

Taille *90 cm x 60 cm*

Obtenteur *Poulsen, Danemark, 1997*

Parfum suave

roses anglaises

English Garden

Excellent en bouquets et très apprécié en art floral.

Geoff Hamilton

La couleur et le parfum de cette rose à quartiers dépassent toutes les espérances.

Graham Thomas

Premier de la série à fleurs d'un vrai jaune, portées en gros bouquets sur des tiges minces.

Mary Rose

Ses grandes fleurs bien pleines écloses en bouquets arrondis dégagent un parfum marqué, de type Damas.

The Pilgrim

Une des plus belles roses anglaises, aux pétales recourbés vers l'extérieur et imbriqués.

Golden Celebration

Ses grandes fleurs en coupe, dorées, ont un ton orangé plus soutenu au cœur.

Evelyn

Denses fleurs très pleines à l'enchanteur parfum exotique.

roses anglaises

Récemment arrivées parmi les rosiers buissons, ces nouvelles roses anglaises sont le fruit du travail de David Austin, qui a cherché à conserver les merveilleuses caractéristiques des meilleurs rosiers anciens en leur ajoutant les avantages évidents des sélections et hybrides modernes. Ces roses anglaises se distinguent en particulier par leurs parfums, allant de la senteur légère et raffinée rappelant la pomme et le citron jusqu'aux lourdes fragrances de myrrhe des roses-choux des hybrides perpétuels. Apparemment, elles ont conservé le charme des Centifolias et Moussus des vieilles peintures hollandaises, et on retrouve même la simplicité des églantines dans ces chefs-d'œuvre modernes. Tous les styles et tailles figurent parmi ces rosiers et vous devrez rester vigilant dans vos choix pour être sûr de retenir une variété adaptée à son futur emplacement.

English Garden *page 137*

Synonymes *AUSbuff ; Schloss Glucksburg*

Sensiblement moins buissonnant que la plupart des autres roses anglaises de David Austin, 'English Garden' rappelle plutôt un rosier à massif à grandes fleurs. Sa forme lui permet donc de s'intégrer à un parterre classique d'hybrides de Thé. Ses fleurs crème chamoisé, joliment formées, s'ouvrent en larges coupes plates lavées, dans les replis des pétales du cœur, de jaune paille et de rose abricot. Elles sont parfaites en bouquets.

Taille *60 cm* x *90 cm*

Obtenteur *Austin, G.-B., 1986*

Parents *(Lilian Austin* x *semis)* x *(Iceberg* x *Wife of Bath)*

Parfumé

Evelyn *page 142*

Synonyme *AUSsaucer*

Les grandes fleurs très pleines aux nombreux pétales revêtent un joli ton chamois orangé, avec des reflets rose abricot dans le cœur. Plus il fait chaud, plus le rose s'intensifie dans les replis des pétales plumeux. Ces grosses fleurs sont si lourdes que la plante peut demander un tuteur pour ses tiges habituellement droites, mais soudain courbées sous le nombre.

Son puissant parfum exotique est si capiteux que cette variété a été adoptée par la firme Crabtree Parents Evelyn, vieille maison de parfums et savons, pour promouvoir ses produits.

Taille *75 cm* x *90 cm*

Obtenteur *Austin, G.-B., 1992*

Parents *Graham Thomas* x *Tamora*

Très parfumé

Geoff Hamilton *page 138*

Synonyme *AUSham*

Les boutons ronds, serrés, éclosent en superbes coupes emplies des arabesques de pétales plissés. Les amoureux de roses anciennes telles qu'on les trouve sur les gravures apprécieront la manière dont les pétales externes finement teintés encadrent les corolles ourlées, à quartiers, rose clair. Le parfum correspond également à l'idée que l'on a des roses anciennes. La plante fleurit durant tout l'été et l'automne sur de puissantes tiges saines.

Ce rosier est un hommage au regretté Geoff Hamilton, chroniqueur horticole de radio et de télévision très apprécié outre-Manche.

Taille *150 cm* x *150 cm*

Obtenteur *Austin, G.-B., 1997*

Parfumé

Golden Celebration *page 141*

Synonyme *AUSgold*

C'est l'une des rares variétés portant les mots « or » ou « gold » dans son nom et qui mérite vraiment cette appellation. Ses gros boutons dorés dévoilent à l'éclosion un cœur de courts pétales or cuivré. Ses grandes coupes très parfumées peuvent être si alourdies par la pluie qu'il faut parfois les tuteurer. L'arbuste, arrondi, de taille moyenne, est précieux en mixed-border ou en massif d'arbustes, où il s'épanouit durant tout l'été et l'automne.

Taille *90 cm* x *90 cm*

Obtenteur *Austin, G.-B., 1992*

Parents *Charles Austin* x *Abraham Darby*

Très parfumé

Graham Thomas *page 138*

Synonymes *AUSmas ; English Yellow, Graham Stuart Thomas*

C'est le premier rosier parmi les brillantes obtentions de David Austin à présenter un vrai jaune. Durant plusieurs années, les amateurs avaient pu profiter de créations dans les rose pâle et rouge foncé, avec quelques apparitions teintées de chamois orangé, mais l'arrivée de Graham Thomas fit date, sans doute surtout en raison de l'engouement pour les roses à aspect ancien.

Les boutons or foncé éclosent en coupes parfumées et dévoilent des tons encore plus soutenus, rares chez les rosiers, et inconnus à coup sûr chez les rosiers anciens. Les fleurs sont groupées en gros bouquets qui courbent sous leur poids les longues tiges minces, donnant

à l'arbuste un port incliné très caractéristique.

Un peu dégingandé, il gagne à être planté par groupes de trois à cinq, ou conduit sur des murs ou tuteurs comme un grimpant court, avec une taille adaptée.

Il est dédié à l'amateur de roses Graham Stuart Thomas, qui fit beaucoup pour le renouveau des rosiers anciens.

Taille *75 cm* x *150 cm*
Obtenteur *Austin, G.-B., 1983*
Parents *Charles Austin* x *(Iceberg* x *semis)*
Parfumé

Mary Rose *page 139*

Synonyme *AUSmary*

Grandes fleurs pleines au parfum de rose de Damas, portées en bouquets ronds sur des branches inclinées. La couleur de cette variété est diversement décrite comme « rose soutenu » ou « rose vif teinté de lavande », voire « rose moyen ». Les fleurs tombent en se fanant au lieu de rester sur l'arbuste, ce qui évite le nettoyage mais ne séduit guère les fleuristes. L'arbuste est rond et trapu, avec un feuillage vert moyen résistant aux maladies.

Le rosier fut baptisé, en 1983, pour commémorer la découverte et le dégagement de la Solent de la *Mary Rose*, navire amiral d'Henri VIII.

Taille *90 cm* x *90 cm*
Obtenteur *Austin, G.-B., 1983*
Parents *The Friar* x *semis*
Très parfumé

The Pilgrim *page 140*

Synonyme *AUSwalker*

C'est l'une des plus belles roses anglaises de David Austin. Une myriade de pétales bouclés et ourlés sont disposés de la plus élégante façon au cœur des corolles à quartiers, aplaties. Leur couleur va de riches nuances citron, au centre, au crème pâle, en lisière.

Les bouquets de fleurs, bien formés, sont portés par des tiges robustes garnies d'un abondant feuillage vert moyen. Ce rosier fait beaucoup d'effet en petits groupes, et même planté isolément, en massifs et bordures.

Taille *120 cm* x *150 cm*
Obtenteur *Austin, G.-B., 1991*
Parents *Graham Thomas* x *Yellow Button*
Parfumé

l'entretien des rosiers

Même si la difficulté de leur culture est constamment mise en avant, les rosiers sont des plantes plutôt faciles. Il est vrai qu'il leur faut une bonne terre, mais n'importe quel sol (à condition qu'il ne soit pas trop acide) peut être amendé par un apport de matière organique bien mûre. Nombre des affections classiques des rosiers, comme les taches noires et l'oïdium, appartiennent désormais au passé, depuis la création des variétés modernes résistantes. La taille est une autre tâche dont on a beaucoup exagéré la difficulté, jusqu'à décourager certains de cultiver des rosiers. En fait, l'expérience a montré qu'ils fleurissent aussi bien après une tonte sévère au taille-haie qu'après un traitement précis et délicat au sécateur. Les nourrir relève du simple bon sens, et un rosier bien nourri est sain, florifère et résistant aux maladies. Dans les pages qui suivent, vous trouverez, exposé très simplement, l'essentiel à savoir sur le sol, la taille et les moyens d'éviter maladies et parasites.

Préparer le sol

Il est une croyance populaire, répandue chez les jardiniers, selon laquelle les rosiers demandent, pour prospérer, une terre exceptionnelle, bêchée à une profondeur d'au moins 90 cm et fréquemment enrichie de quantités de matière organique. En fait, ils poussent dans n'importe quel terrain, à condition qu'il ne soit pas trop acide, et dans toutes les régions du monde. Naturellement, si vous vivez sous un climat extrême, il faudra à vos rosiers un mode de culture particulier, mais vous ne rencontrerez aucune difficulté en zone tempérée, pourvu que le sol ait été correctement préparé.

Pour établir votre jardin, il est capital de connaître la nature de votre terre. Il serait merveilleux que nous possédions tous le riche et friable limon qu'on suppose nécessaire à la culture des rosiers, mais tel n'est malheureusement pas le cas. Pour y remédier, l'emploi de compost bien fait, à base de déchets ménagers ou de fumier de ferme, est une excellente manière de recycler des matériaux naturels tout en enrichissant le sol. Si le sol de votre jardin est maigre, sableux et pauvre, ne retenant ni l'eau ni les nutriments, l'apport massif de fumier additionné de compost bien mûr et l'application d'un épais paillis organique finiront par le rendre fertile.

À l'opposé, votre terre peut être lourde, glaiseuse, peu drainante et difficile à travailler. C'est alors l'apport de matière organique, de gypse ou de maërl qui l'allégeront et morcelleront l'argile par un processus dit de « floculation ». Si un produit adapté ou une bonne quantité de chaux sont épandus sur une terre argileuse, ses fines particules s'agglomèrent en « floculats » plus gros qui laissent passer air et eau plus aisément, pour le plus grand bénéfice des radicelles. Employés régulièrement sur tous les autres types de sols, fumier, compost ou autres matières humifères seront également bénéfiques.

Seuls les terrains très acides sont impropres à la culture des rosiers : les terres à rhododendrons, azalées et bruyères d'hiver, par exemple, ne leur conviennent pas. Si vous ignorez la nature de votre terre, vous pourrez vous procurer en Jardinerie un kit de mesure spécial. La nature chimique du sol, c'est-à-dire son degré d'acidité ou d'alcalinité, est caractérisée par son pH (abréviation de « potentiel hydrogène »). Si votre sol se révèle trop acide (d'un pH inférieur à 5), il vous reste la possibilité de cultiver vos rosiers en pots, dans un mélange à base de terre franche.

Après avoir choisi l'emplacement de vos rosiers, la préparation du sol sera votre premier travail. Si des rosiers ont occupé cet emplacement au cours des cinq années précédentes, il est impératif de remplacer la terre avant de procéder à la plantation. Retirez au moins une brouettée (environ 60 cm × 60 cm × 60 cm) par plante de terre « usée » et évacuez-la dans un coin du jardin non occupé par des rosiers avant de la remplacer par de la terre neuve. Vous éviterez ainsi la transmission d'une maladie

◂ *L'apport de matière organique produira un rosier vigoureux et florifère. Ici, le rosier grimpant 'Madame Alfred Carrière' sert à masquer un abri inesthétique, en compagnie d'hortensias, d'euphorbes et de pivoines.*

▸ *Si votre sol est très acide, vous pouvez toujours cultiver vos rosiers en pots, dans un mélange à base de terre franche. C'est ici 'Loving Memory', sur tige, qui tient la vedette dans cette collection de pots, en y apportant une note soutenue.*

cryptogamique spécifique, probablement présente dans le sol, et capable de persister plusieurs années de suite après l'arrachage de vieux rosiers. Connue sous le nom de « syncope de transplantation », elle s'attaque aux rosiers juste après la plantation, avant que les racines n'aient eu le temps de se développer et de renforcer le métabolisme des jeunes plantes. Le rosier atteint commence à pousser normalement puis se met à sécher sans raison apparente.

Dans les petits terrains, il est souvent difficile de trouver une terre de remplacement dans un coin du jardin libre de tout rosier. S'il ne vous en faut qu'un peu, une Jardinerie locale vous fournira certainement des sacs de terre franche. Pour de grosses quantités, cherchez dans l'annuaire un marchand de matériaux spécialisé en jardinage. Si vous n'avez pu remplacer la terre, attendez cinq ans environ avant de replanter des rosiers au même endroit. En cas de doute, vous pouvez appliquer sur le sol un produit fongicide spécifique (comme un désinfectant de type Fongiclor), mais évitez d'employer du bénomyl, qui inhibe l'enracinement. Il existe sur le marché des produits supposés stériliser le sol, évitant ainsi son remplacement. Mais, pour un seul rosier, la dépense et les efforts demandés sont disproportionnés, et l'efficacité absolue de ces produits n'est pas garantie.

Pensez qu'un rosier reste longtemps en place et labourez donc soigneusement son emplacement en retirant toute trace de mauvaise herbe vivace, puis faites un généreux apport de compost ou de fumier bien décomposés. La profondeur du labour dépendra de la structure superficielle du sol. Le labour à deux fers de bêche (c'est-à-dire sur deux fois la hauteur du fer) est recommandé, quand il est possible. Mais, si la terre arable ne dépasse pas un fer de bêche d'épaisseur, ne creusez ni n'amendez le sol plus profondément. Ne bouleversez en aucun cas un sous-sol graveleux et ne le mélangez pas à la terre de surface. Quant au labour en sol lourd, il ne servira qu'à vous briser le dos. Le fumier déshydraté est disponible en sacs dans les Jardineries, l'idéal étant du fumier de ferme bien mûr, composté pendant au moins six mois. Les meilleurs sont les fumiers de cheval, de vache ou de porc ; de volaille ou de mouton, ils sont trop forts et risquent de brûler les radicelles. D'autres apports organiques, tels que les déchets de champignonnière et tourteaux divers, disponibles en Jardinerie, sont également efficaces.

Enfin, avant de faire le trou de plantation, il est recommandé de préparer un mélange à incorporer au sol, au fond du trou, et à saupoudrer sur les racines avant de remettre la terre en place. Préparez ce mélange simple en ajoutant deux bonnes poignées de poudre d'os stérilisée à un bon seau ou une petite brouettée (environ dix litres) de tourbe ou d'un équivalent. Il aidera les racines à démarrer vigoureusement et donnera un excellent départ au rosier dans son nouvel habitat.

La plantation

Tracer un massif de rosiers

Décidez tout d'abord quel effet vous recherchez – régulier ou libre –, puis préparez et dégagez l'emplacement. Procurez-vous ensuite une botte de tuteurs de 60 cm de long et un cordeau. En respectant les distances recommandées (voir ci-contre), tracez le plan de plantation et piquez un tuteur à l'emplacement retenu pour chaque rosier. Le rang de bordure devra rester parallèle à la lisière du massif, avec un retrait de 45 cm. Si vous souhaitez un massif régulier, servez-vous du cordeau pour tracer des rangs droits. Faites les rectifications nécessaires pour obtenir un effet général équilibré avant de commencer à creuser. Assurez-vous que le sol soit frais (mais non trempé) avant de faire les trous.

Pour un rosier buisson ou un rosier à massifs, reportez-vous aux illustrations de la page ci-contre. Si vos rosiers sont à racines nues et qu'ils arrivent à un moment inadéquat, ou s'il fait trop froid ou trop humide pour les planter, mettez-les en « jauge », dans une tranchée provisoire, où ils resteront à l'abri jusqu'au moment opportun.

Planter des rosiers grimpants

Pour installer un rosier grimpant contre un mur ou une palissade, vérifiez que l'endroit n'est pas trop sec, comme c'est souvent le cas au pied d'un mur ensoleillé. Préparez bien le sol et creusez le trou de plantation à 45 cm du mur au moins, pour éviter la zone la plus sèche, juste au ras. Faites une fosse de 60 cm × 60 cm, assez profonde pour y loger les racines ou la motte. Au fond du trou, mettez une bonne dose de mélange pour plantation, riche en poudre d'os et tourbe ou autre apport (voir page 149). Mettez la plante en place comme un rosier buisson (voir illustrations page ci-contre), mais en appuyant les tiges contre le mur. Dans la saison qui suit la plantation, veillez à bien arroser votre rosier grimpant. Il est également recommandé de ne pas installer d'autres plantes à moins de 60 cm de distance.

Distances recommandées

Avant d'installer de nouveaux rosiers, renseignez-vous sur la hauteur qu'ils atteindront à l'âge adulte. Vous aurez ainsi une idée de l'écartement nécessaire entre des plants d'une même variété, soit environ deux tiers de cette hauteur.

ROSIERS MINIATURES 45 cm d'écart

HYBRIDES DE THÉ ET FLORIBUNDAS 60 cm d'écart

ROSIERS BUISSONS	Petits 90 cm d'écart
	Moyens 1,20 m d'écart
	Grands 2 m d'écart
ROSIERS GRIMPANTS	2,50 m d'écart
ROSIERS TIGES	1,20 m d'écart au moins

Les hybrides de Thé et les Floribundas juste installés doivent être taillés ras, au printemps qui suit la plantation, alors que les rosiers buissons et grimpants ne voient pas le sécateur la première année.

Installer une haie

Préparez l'emplacement de la future haie comme pour un massif (voir page 148) et creusez une tranchée sur le tracé retenu. Vous choisirez la variété à planter en fonction de son épaisseur. Pour une haie droite, nette, de plus de 90 cm de haut, une seule ligne de Floribundas élancés (et pas trop touffus) conviendra. Si vous voulez une haie plus dense, plantez vos rosiers en quinconce : deux lignes espacées de 15 à 30 cm avec des plantes écartées de 60 cm au plus et alternées d'une ligne à l'autre. Réduisez dans ce cas de 10 % les distances données dans l'encadré, le but étant alors d'avoir une ligne continue.

1. Creusez un trou assez grand pour y loger les racines d'un rosier à racines nues (environ la largeur et la hauteur d'un fer de bêche), ou la motte d'une plante en conteneur. Au fond du trou, ameublissez la terre et mêlez-y une poignée de mélange pour plantation. Étalez uniformément les racines dans le trou.

2. Bougez légèrement votre rosier pour le « caler » correctement dans le mélange, dont vous rajouterez alors une poignée avant de reboucher le trou en tassant au fur et à mesure. À la fin de l'opération, le point de greffe doit se trouver au niveau du sol.

3. Piétinez le sol autour de la plante pour le tasser. Il vous faudra peut-être recommencer après une période de gelées et durant l'hiver pour éviter le déchaussement. Si vous plantez un certain nombre de nouveaux rosiers dans un massif, agissez avec méthode : rebouchez le premier trou avec la terre extraite du second, et ainsi de suite.

Déplacer un rosier adulte

Il y a peu de chances qu'un vieux rosier survive à une transplantation, mais vous pouvez déplacer une plante de moins de cinq ans vers un nouvel emplacement ou un autre jardin. Il faut alors agir avec soin. Pour extraire un rosier adulte, dégagez-le tout d'abord en découpant un cercle dans le sol à 60-75 cm de son pied. Il sera peut-être nécessaire d'agir en deux temps : ameublissez d'abord la terre compactée puis tranchez les racines à l'aide de la bêche enfoncée plus profondément. La tâche sera plus facile si l'on travaille à deux, en vis-à-vis. La terre de la motte ainsi formée n'a pas d'intérêt et peut être abandonnée. Une fois le rosier arraché, taillez ses racines. Coupez net celles qui sont cassées ou déchirées, à l'aide d'une serpette ou d'un sécateur. Retirez tout rejet éventuel, ainsi que les chicots et bois morts, puis rabattez les jeunes pousses tendres.

Arrosez soigneusement le nouvel emplacement avant de planter, surtout après une période de sécheresse (dans ce cas, un bain des racines est également bienvenu). Une fois que le sol détrempé commence à se ressuyer tout en restant frais, installez votre rosier en ajoutant un mélange de tourbe et de poudre d'os (voir page 149). Calez-le en tassant le sol avec le pied entre les racines. Surveillez-le de près jusqu'à sa reprise, en l'arrosant bien s'il fait sec.

La taille

Tailler des rosiers consiste à supprimer le bois âgé, mort ou inesthétique et à encourager la venue de jeunes pousses saines qui régénéreront la plante. La taille est destinée à permettre au rosier de produire une bonne masse de fleurs et de feuillage à la saison suivante.

Le succès dépend de l'observation de quelques règles de base. Avant la taille proprement dite, nettoyez la plante, non seulement pour retirer les bois morts ou malades, mais aussi pour rendre plus faciles les opérations suivantes. Les pousses faibles ou abîmées ont peu de chances de donner de bons résultats. Tout dépend de votre rosier et du résultat recherché. Veillez à retirer également celles qui se chevauchent, si possible, pour que les futures pousses laissent air et lumière pénétrer toute la plante; le feuillage n'en sera que plus sain. Toutes les coupes doivent être nettes, exécutées à l'aide d'une serpette parfaitement affûtée ou d'un bon sécateur. Celui-ci laissera une coupe franche, saine, sans écorchures, et permettra une cicatrisation rapide. Faites une coupe en biseau, aussi près du bourgeon que possible, afin d'éviter la formation de chicots au-dessus des nouvelles pousses. Les branches sont rabattues en laissant deux ou trois yeux sur le bois de l'année précédente.

▲ *Cet arceau croule sous un rosier sarmenteux, qui fleurit sur le bois d'un an. Il se renouvelle en émettant en plein été des pousses basales, et la taille sera menée en début d'automne.*

Certains spécialistes préconisent une taille sévère. D'autres disent que, ce faisant, vous priverez la plante de ses réserves en taillant dans ses forces vives, et qu'il suffit de réduire de moitié un rosier à massifs pour obtenir de bons résultats. Tout dépend de votre rosier et du résultat recherché. Quand une variété est haute et vigoureuse, avec plusieurs tiges épaisses et saines issues de la base, ce sont elles qui produiront de belles fleurs et un feuillage sain et vigoureux. Si vous désirez un jardin fleuri massivement et transformé en juin en un nuage de couleurs, supprimez un tiers seulement des pousses de l'année précédente pour obtenir le résultat souhaité. Pour produire des pousses et un feuillage vigoureux, ainsi que des fleurs de bonne qualité, vous pouvez tailler plus court dans le vieux bois. Quel que soit votre choix, prenez note du résultat pour savoir quelle conduite adopter à l'avenir.

Les rosiers à massifs

Les hybrides de Thé, Floribundas, rosiers miniatures et couvre-sols fleurissent tous sur le bois de l'année et seront taillés durant leur période de dormance, si possible juste avant leur débourrement, en mars. Si votre rosier est très âgé, a été très mal taillé et présente une base noueuse, vous devrez prendre des mesures drastiques et tailler dans le vieux bois inesthétique. Agissez au cœur de l'hiver, quand

▲ *Les pousses qui ont fleuri seront rabattues court et remplacées par les plus jeunes, palissées, qui fleuriront au printemps suivant. On voit bien en hiver si un rosier a été correctement taillé.*

la plante est à demi dormante. La sève sera à coup sûr arrêtée et vous éviterez que la plante ne « pleure » quand vous la taillerez. Une scie égoïne se révélera peut-être nécessaire.

Les jardiniers timorés pensent que c'est dangereux pour l'arbuste; bien au contraire, quantité de bourgeons cachés seront tout à coup réveillés par cette brutale opération. Si votre rosier en meurt, ce qui est improbable, consolez-vous en considérant que ce vieux sujet n'était plus guère décoratif et que vous n'avez fait que hâter l'inévitable.

À la fin de la saison, il est recommandé de tondre vos rosiers à massifs à la même hauteur (soit environ 60 cm). Le jardin sera plus propre pour l'hiver et vous réduirez la prise au vent des sujets les plus hauts. En effet, si les rosiers sont déchaussés par le vent, leurs racines peuvent être endommagées par le gel, ou noyées. La taille de printemps a lieu de préférence avant le démarrage de la végétation, la date précise dépendant des conditions météorologiques de la saison et de votre situation géographique. Quand les pousses atteignent 5 à 8 cm de haut, le moment idéal pour la taille est déjà passé. Ne taillez pas par temps de gel. Les plantes ne risquent pas d'être abîmées par un soudain coup de froid, une fois taillées, mais les tissus gelés cicatrisent mal si on y touche.

Comme nous l'avons vu dans le chapitre consacré à la plantation (page 150), les rosiers à massifs tout juste installés sont rabattus court (à 10 cm environ) au printemps qui suit, afin qu'ils forment une base bien ramifiée dont dépendra tout l'avenir de la plante. Les racines de vos jeunes sujets seront également ainsi moins perturbées par le vent que si elles étaient à racines nues.

Les rosiers grimpants

Presque tous les rosiers grimpants modernes fleurissent sur le bois de l'année. Il importe donc peu que vous tailliez court ou non, sauf si la tête de la plante est trop chargée ou si, après quelques années, vous souhaitez retirer des bois laids ou âgés.

La principale opération à mener avec les rosiers grimpants est le palissage (voir page 37). Le plus souvent, le but de celui-ci est de faire en sorte que les pousses, donc les feuilles et fleurs, garnissent la plante depuis la base. Inclinez tous les rameaux les plus jeunes à l'horizontale – ce qui implique la présence d'un support auquel les accrocher. Posez un treillage sur votre mur ou votre palissade, ou fixez-y des fils de fer à l'aide de crochets ou de pitons. En conduisant votre rosier en éventail, vous verrez facilement quelles pousses raccourcir ou supprimer. Il restera,

1. Les hybrides de Thé et Floribundas récemment installés seront taillés au printemps qui suit, peu avant leur débourrement.

2. Une taille légère permettra à votre rosier de produire des fleurs tôt dans sa première saison.

3. En taillant plus court, vous verrez apparaître de vigoureuses pousses basales, un feuillage puissant et de grosses fleurs bien typées.

naturellement, quelques pousses verticales. Cependant, si vous croyez hâter la couverture de votre mur en conduisant toutes les branches verticalement, détrompez-vous : vous n'obtiendrez qu'une plante à grosse tête, mais aux jambes nues.

Chez les rosiers grimpants plus anciens, non remontants, on laisse les charpentières couvrir l'espace imparti, et on rabat les pousses latérales, florifères, à deux ou trois yeux, chaque printemps.

Les rosiers sarmenteux, qui fleurissent également sur le bois de l'année, demandent un traitement particulier. D'ordinaire, ils s'épanouissent abondamment en juin et passent le reste de la saison à produire de nouvelles pousses basales. Supprimez en fin de saison toutes les pousses défleuries et palissez soigneusement les nouvelles, qui fleuriront la saison suivante.

Les rosiers buissons

Les rosiers buissons sont également divisés en deux catégories principales : l'une fleurit sur le vieux bois et l'autre sur le bois de l'année. Pour cette dernière, on taille ou on raccourcit la plante pour la former et lui faire tenir la place impartie. Peu importe si vous rabattez ces rosiers un peu court, comme l'ont démontré des essais de taille effectués à l'épareuse : ils n'en fleuriront pas moins dans la saison suivante. Ils peuvent certes y perdre la forme que vous leur avez patiemment donnée avec une taille plus délicate, mais ils gagneront à subir une coupe sévère, qui éliminera tous les bois morts, difformes ou malades.

Les rosiers fleurissant sur le bois d'un an, c'est-à-dire la plupart des rosiers anciens, sarmenteux, botaniques et quelques rares rosiers modernes seulement, souffriront sérieusement si vous les recépez court, et une taille sévère à la mauvaise époque se traduira par une quasi-absence de fleurs la saison suivante. Ce qu'il leur faut, c'est une taille légère ou inexistante des bois d'un an ; en revanche, vous pouvez supprimer en automne les tiges qui ont fleuri, en général vers juin, sans remontée en été ou en automne. Le tout est de laisser suffisamment de nouvelles pousses pour assurer la floraison de l'année suivante.

Il est donc capital de savoir quel est le type de vos rosiers et à quel groupe ils appartiennent avant de mettre en route votre programme de taille. Si vous arrivez dans un jardin déjà rempli de rosiers et que vous ignoriez quels sont leurs types et variétés, demandez l'aide d'un horticulteur ou d'une Jardinerie locaux.

1. Les rosiers tiges demandent une taille de nettoyage après leur floraison.

2. Commencez par retirer toutes les tiges malingres, malades ou mortes avant de tailler long les pousses saines et vigoureuses. Puis reculez et regardez : l'équilibre est capital chez les rosiers tiges et, après la taille, vous aurez peut-être à recouper un peu pour éviter une pousse dégingandée.

3. Une taille courte donnera de meilleurs résultats à long terme, même s'il ne faut laisser que deux ou trois yeux sur le bois conservé. En fin d'hiver, complétez la taille en rabattant les bois à deux ou trois yeux.

Les rosiers tiges

Pour nombre d'hybrides de Thé et de Floribundas conduits sur tige, une taille soignée est nécessaire pour sélectionner des tiges fortes afin d'obtenir une tête équilibrée (voir ci-dessus). Les rosiers tiges sont greffés sur des sauvageons, assez haut au-dessus du sol. Leur tronc émet souvent des gourmands, entre le sol et la tête, qu'il faut éborgner dès leur apparition. Ne les laissez jamais s'aoûter.

Les haies de rosiers

Les rosiers menés en haies se taillent un peu différemment de ceux des massifs et plates-bandes. Quand la place fait défaut, il faut plus que jamais veiller à obtenir une haie régulière, de hauteur et largeur adaptées, plutôt que de rechercher une floraison abondante. Les hybrides de Thé et les Floribundas seront incités à fournir chaque année de vigoureux rejets. Si vous ne les rabattez pas assez court, toutes les repousses apparaîtront en hauteur, d'année en année. S'il en est ainsi et que vous souhaitiez retailler dans le vieux bois noueux, agissez durant le repos des plantes. N'attendez pas l'éveil du printemps, ou bien les coupes ne se cicatriseront pas et vous perdrez beaucoup de sève, donc de vigueur.

En fin de saison, passez la cisaille sur la haie pour la reformer dès qu'elle ne produit plus de fleurs ; en réduisant sa hauteur, vous limiterez considérablement sa prise au vent en hiver. Ne laissez pas votre haie atteindre d'un coup la hauteur désirée. Les premières années, ramenez-la toujours par la taille à la hauteur de la plus courte plante. Si elle est composée de rosiers buissons, la taille pourra être réduite à un simple coup de cisailles.

Que la coupe soit au carré ou arrondie est affaire de préférence. Si vos rosiers buissons appartiennent au groupe des rosiers anciens, ne rabattez pas les jeunes pousses : vous n'obtiendriez que de la verdure. Veillez plutôt à ramener les tiges envahissantes à des dimensions raisonnables.

Les rosiers buissons remontants, qui fleurissent sur les pousses de l'année, seront taillés au fur et à mesure de vos besoins. Une coupe légère réglera la hauteur, mais, si votre haie devient trop importante, vous pourrez sans danger pratiquer un recépage. Après une année environ de simples nettoyages, les rosiers buissons adultes, surtout les *Rugosa*, se dénudent à la base et ils tireront alors profit d'une taille hivernale sévère qui les incitera à refaire des pousses denses.

Nourrir les rosiers

Le plus important est de vous assurer que vos plantes restent saines en appliquant de bonnes techniques horticoles. La culture biologique, qui consiste à travailler avec la nature plutôt que contre elle, est ici bienvenue. Les engrais, les paillis et une hygiène soignée y jouent un rôle essentiel. Des plantes en bonne santé fleuriront bien et seront mieux armées contre les maladies et parasites.

Il existe sept éléments principaux indispensables à la croissance des plantes : l'azote, le phosphore, le soufre, la potasse, le calcium, le magnésium et le fer, ainsi que ce qu'on regroupe d'ordinaire sous le nom d'oligo-éléments. Une analyse de votre terre montrera les éventuelles carences. Les engrais organiques (par opposition aux engrais chimiques, inorganiques) sont aisés à se procurer en Jardineries ou graineteries. L'un des meilleurs produits consiste en un mélange de poudre d'os et de guano de poisson. Les déchets de poisson contiennent de l'azote et des phosphates et la poudre d'os des phosphates utiles à l'activité radiculaire. Au printemps, à l'apparition des feuilles, enfouissez-en une poignée au pied de chaque rosier et répétez l'opération pendant la pleine floraison. Ce deuxième apport suffira à maintenir la plante en bonne santé pour le reste de la saison. Vous pouvez également employer de la corne torréfiée, riche en azote retard, des algues marines, comportant une large gamme d'oligo-éléments, ou du fumier déshydraté, excellente source d'humus.

Il est aussi conseillé d'épandre au pied de vos rosiers un bon paillis organique, comme de l'écorce broyée, qui maintiendra le sol frais. Il éliminera les mauvaises herbes annuelles et aidera les rosiers à assimiler les nutriments, même au cœur de l'été. Sans lui, la terre se desséchera, en bloquant les éléments nécessaires pour que les plantes gardent une végétation, des feuilles et des fleurs vigoureuses et saines.

▸ *Bien nourris, les rosiers sarmenteux 'The Garland' (à gauche) et 'Dorothy Perkins', associés à 'Félicité et Perpétue' (à droite), recouvrent ces arceaux au début de l'été.*

Des rosiers sains

▲ *Un rosier sain et bien nourri se moquera des attaques de parasites et des maladies. Le rosier grimpant 'Bantry Bay', porté par un tipi de tuteurs, offre une masse de fleurs et de feuillage luxuriant.*

Bien cultivé et bien nourri, un rosier est capable de résister aux maladies et parasites, alors qu'une plante faible et affamée sera la première à succomber. Outre l'apport d'une nourriture abondante (voir page 156), vous devrez vous plier à quelques règles pour éviter certains problèmes.

Chute des feuilles en été

L'une des principales causes de la chute des feuilles est le manque d'eau et de nourriture. Nourrissez vos rosiers avec un engrais complet spécial, disponible partout, et paillez-les avec du compost et/ou de l'écorce broyée. Ainsi, le sol restera frais et les racines utiliseront mieux les nutriments.

Absence de remontée

Après la vague de juin, les rosiers remontants ont besoin de quelques attentions – paillage et nettoyage des fleurs fanées – pour continuer à bien donner. Le retrait des fleurs fanées évitera la formation de graines qui détourneraient la nourriture au détriment des floraisons d'automne. Cela vaut pour les hybrides de Thé, les Floribundas et les rosiers grimpants modernes. Les rosiers buissons cultivés pour leur belle fructification échapperont, naturellement, à ce nettoyage. Quelques couvre-sols, surtout à fleurs simples, bien qu'ils soient épanouis jusqu'aux gelées, produiront également de jolis fruits si vous ne coupez pas les fleurs fanées.

Décoloration des feuilles

Le feuillage d'un rosier vigoureux et bien nourri doit être bien coloré et refléter la bonne santé de l'arbuste. Des feuilles décolorées sont le premier signe d'un malaise. Le tableau ci-contre décrit les symptômes des affections du feuillage, le diagnostic et le traitement à appliquer. Les feuilles victimes de marsonia doivent être ramassées dès que possible et brûlées pour limiter l'infection. Retirez et brûlez également les brindilles et déchets de taille.

Parasites et maladies des rosiers

Divers auxiliaires utiles, tels que les coccinelles, se nourrissent de pucerons, parasites les plus répandus des rosiers. En cas de forte attaque, employez des insecticides spécifiques. Les rosiers peuvent aussi être victimes d'attaques de champignons. Des plantes maintenues vigoureuses par de bons apports et un paillis solide, surtout estivaux, y résisteront beaucoup mieux.

Mauvaises herbes

Les herbicides de toute nature disponibles dans les Jardineries et magasins de bricolage comportent tous des mises en garde contre un mauvais emploi éventuel. C'est dire que, dans un petit jardin, la meilleure lutte reste la prévention. Quand vous préparez un nouvel emplacement, il est impératif d'arracher et de détruire jusqu'aux racines les mauvaises herbes vivaces. Contre les annuelles, le paillage est remarquablement efficace. L'emploi d'écorce broyée, en couches de 5 cm d'épaisseur épandues entre vos rosiers, éliminera la plupart de celles-ci et les éventuelles rescapées seront aisément supprimées à la binette ou à la main.

Un tapis de mousses ou d'algues vertes peut être l'indice d'un mauvais drainage, entraînant une asphyxie, un

Symptômes	*Cause probable*	*Remèdes*
Feuilles jaunes	Manque de fer assimilable dans le sol (cela arrive parfois dans des sols riches en fer, mais non assimilable)	Apporter du fer assimilable sous forme de chélate dilué
Jaunissement du limbe le long des nervures	Manque de magnésium	2 g par m^2 de sulfate de magnésie
Feuilles vert pâle	Manque d'azote	Une poignée de corne torréfiée par plante
Feuilles réduites à reflets rouge pourpré	Manque de phosphore	2 g de superphosphate par plante
Bordures rouges/pourpres sur les feuilles/reflets rouges brillants sur les jeunes pousses	Manque de potasse	2 g de sulfate de potassium par plante
Feutrage blanchâtre sur les feuilles	Oïdium	Vaporiser un fongicide adapté et bien nourrir jusqu'en juin
Taches noires arrondies sur les feuilles vertes (pas sur les pourpres) ou jaunissantes en automne	Marsonia	Comme ci-dessus, avec collecte et destruction des feuilles malades. Bien nourrir au printemps suivant

sol trop compact et un manque d'humus. Le binage, l'emploi de paillis et d'engrais organiques résoudront les problèmes mineurs, mais les cas sérieux exigeront des solutions plus énergiques, telles que la pose de drains. Quant aux véritables inondations, elles sont le plus souvent provoquées par un temps exceptionnellement mauvais.

Supprimer les drageons

La plupart des rosiers sont greffés sur des porte-greffes – d'ordinaire des églantiers sélectionnés. Autrefois, il s'agissait uniquement de notre églantier commun *(Rosa canina),* espèce botanique vigoureuse mais plutôt envahissante. La vigueur de cette plante présentait l'avantage, aux yeux des pépiniéristes, de profiter au cultivar. Divers essais ont été menés pour sélectionner d'autres formes plus compatibles ou produisant moins de drageons. Les drageons (ou « gourmands ») sont des rejets nés sur le porte-greffe ou juste au-dessous du point d'union entre le greffon et l'églantier. Ces gourmands peuvent affaiblir la vigueur du rosier. Pour identifier un drageon, le moyen le plus sûr consiste à suivre la pousse suspecte jusqu'à sa naissance. La légende veut que le nombre de folioles par feuille soit un signe certain de reconnaissance, permettant de distinguer le porte-greffe du greffon. En réalité, les variétés modernes ont été tellement croisées que leur nombre de folioles est plus qu'incertain et peut varier même sur un seul sujet. Un cultivar et ses drageons peuvent donc en présenter le même nombre. Il est plus sûr de comparer la pousse suspecte avec des tiges, jeunes comme adultes, du greffon : si elles sont similaires, il ne s'agit pas d'un drageon.

Un rosier peut être incité à rejeter si ses racines ont été endommagées, ou par le retrait maladroit d'un gourmand qui aura laissé un moignon apte à repousser. Une plantation trop superficielle encourage aussi les rejets. Supprimez-les dès leur apparition : suivez leur trace dans le sol, en labourant celui-ci si nécessaire, jusqu'à leur source. Puis, muni de bons gants, tirez dessus. Si vous coupez un drageon, vous ne ferez que le tailler et encourager sa repousse.

Les rosiers et leur emploi

Les rosiers sont classés par catégories, reconnues internationalement. Mais il peut sembler plus simple de les ranger suivant leur emploi au jardin. Les listes qui suivent comprennent tous les rosiers illustrés dans l'ouvrage (et suivis d'un astérisque*) ; elles se fondent en partie sur les listes de rosiers récompensés par la Royal National Society of Roses, autorité mondiale en la matière.

Légende des symboles et abréviations

Nom Appellation variétale employée dans les catalogues.

Code Code international d'identification d'une variété et de son obtenteur (les trois ou quatre premières lettres viennent du nom de celui-ci). Ce code fait défaut quand le rosier est antérieur à la création des codes internationaux.

Hauteur Les hauteurs données correspondent à celles de rosiers cultivés dans des conditions normales et peuvent différer dans des situations particulières.

C court : 45-75 cm M moyen : 75-100 cm G grand : 1 m et plus

Type Fl Floribunda CS Couvre-sol A Arbuste Min Miniature HT Hybride de Thé

Parfum P parfum léger PP parfum présent PPP très parfumé

Grimpants T: pour treillages et murs P: pour pylônes et poteaux A: pour arceaux et pergolas

ROSIERS POUR MASSIFS ET MIXED-BORDERS

Nom	Code	Hauteur	Type	Couleur	Parfum
Amber Queen	HARroony	C	Fl	Jaune ambré	PP
Anna Livia*	KORmetter	M	Fl	Rose	P
Avon	POULmulti	C	CS	Blanc rosé	P
Ballerina*		M	A	Rose pâle	P
Belle Epoque	FRYaboo	M	HT	Bronze ambré	PP
Berkshire*	KORpinka	M	CS	Rose cerise	P
Charles Notcutt*	KORhassi	G	A	Cramoisi	P
Cleopatra*	KORverpea	G	HT	Écarlate/revers or	P
Comte de Chambord		M	A	Rose	PPP
Congratulations*	KORlift	G	Fl	Rose tendre	P
Cornelia		M	A	Rose	PPP
Crystal Palace*	POULrek	C	Min	Crème et pêche	P
Dawn Chorus*	DICqueen	M	HT	Orange mandarine	PP
Elina	DICjana	G	HT	Jaune primevère	PP
Emera*	NOAtrum	M	CS	Rose foncé	P
English Garden*	AUSbupp	G	A	Jaune abricot doux	PP
Evelyn*	AUSsaucer	M	A	Abricot	PPP
Fascination*	POULmax	C	Fl	Rose crevette	P
Felicia		G	A	Rose estompé	PPP
Fellowship*	HARwelcome	M	Fl	Orange foncé	P
Festival*	KORdialo	C	Min	Cramoisi/argent	P
Freedom	DICjem	M	HT	Jaune de chrome	P
Geoff Hamilton*	AUSham	M	A	Rose nuancé	PP
Gertrude Jekyll	AUSbord	G	A	Rose foncé	PPP
Golden Celebration*	AUSgold	M	A	Or foncé	PPP
Golden Wings*		M	A	Citron clair	PP
Graham Thomas*	AUSmas	G	A	Jaune soutenu	PPP
Gwent*	POULurt	C	CS	Jaune citron	P
Hannah Gordon*	KORweiso	M	Fl	Rosé	P
Heritage	AUSblush	G	A	Saumoné	PPP
Iceberg*	KORbin	G	Fl	Blanc	PP
Ice Cream	KORzuri	M	HT	Blanc ombré d'ivoire	PP
Ingrid Bergman*	POULman	M	HT	Rouge profond lumineux	PP
Intrigue*	KORlech	M	Fl	Cramoisi foncé	P
Irish Eyes	DICwitness	C	Fl	Jaune et rouge	P
Jacques Cartier*		C	A	Rose chaud	PPP
Just Joey*		M	HT	Chamois-abricot	PP
Korresia*	KORresia	M	Fl	Jaune lumineux	PPP
L.D. Braithwaite	AUScrim	G	A	Cramoisi foncé	PPP
L'Aimant	HARzola	G	Fl	Corail	PPP
Lancashire*	KORstegli	C	CS	Cramoisi	PP
Little Bo-Peep	POULlen	C	Min	Rosé	P
Madame A. Meilland*		G	HT	Jaune ombré de rose	P
Mandarin*	KORcelin	C	Min	Orange et rose	P
Many Happy Returns	HARwanted	M	Fl	Rose argenté	P
Mary Rose*	AUSmary	G	A	Rose	PPP
Molineux	AUSmol	G	A	Jaune profond	PPP
Opalia*	NOASchnee	C	CS	Blanc	PP
Oranges and Lemons*	MACanlorem	G	Fl	Jaune rayé d'orange	P
Oxfordshire*	KORfullwind	M	CS	Rose tendre	P
Paul Shirville	HARqueterwife	M	HT	Pêche à reflets saumon	PPP
Playtime*	KORsaku	M	CS	Rose	P
Pyrénées*	POULcov	C	CS	Blanc	P
Queen Mother*	KORquemu	C	Min	Rose tendre	P
Remember Me	COCdestin	M	HT	Orange cuivré	P
Rose De Rescht*		M	A	Fuchsia pourpré	PPP
Royal William*	KORzaun	G	HT	Cramoisi foncé	PP
St. Tiggywinkle*	KORbasren	C	CS	Rose vif/œil blanc	P
Sally Holmes		G	A	Ivoire teinté de chamois	PP
Selfridges*	KORpriwa	G	HT	Jaune vif	PP

Nom	Code	Hauteur	Type	Couleur	Parfum
Sharifa Asma*	AUSreef	M	A	Rosé	PPP
Shocking Blue*	KORblue	M	Fl	Magenta lilacé vif	PPP
Silver Jubilee*		M	HT	Saumon abricoté	P
Sunset Boulevard*	HARbabble	M	Fl	Orange-abricot	P
Sweet Dream*	FRYminicot	M	Min	Crème abricoté	PP
Tequila Sunrise*	DICobey	C	HT	Jaune ombré de rouge	P
The Fairy*		M	CS	Rose tendre	
The Pilgrim*	AUSwalker	G	A	Citron pâle	PPP
The Times*	KORpeahn	M	Fl	Cramoisi foncé	P
Trumpeter*	MACtrum	C	Fl	Écarlate	P
Tumbling Waters*	POULtumb	M	A	Blanc	PP
Tynwald*	MATwyt	G	HT	Ivoire	PP
Valencia*	KOReklia	G	HT	Orange brûlé	PPP
Vent d'Été*	KORlanum	M	CS	Rose tendre	P
Vésuvia	KORtenay	C	CS	Rose carminé	P
Warm Wishes	FRYxotic	M	HT	Pêche saumoné	P
Wiltshire*	KORmuse	C	CS	Rose vif	P
Winchester Cathedral	AUScat	M	A	Blanc	PPP
Worcestershire	KORlalon	M	CS	Citron	P

ROSIERS POUR HAIES

Nom	Code	Hauteur	Type	Couleur	Parfum
Alexander	HARlex	G	HT	Écarlate	
Ballerina*		M	A	Rose clair	P
Charles Notcutt*	KORhassi	G	A	Écarlate-cramoisi	P
Cornelia		M	A	Tons de rose	PPP
Frau Dagmar Hastrup*		M	A	Rose argenté	PP
Golden Wings*		M	A	Citron clair	PP
Iceberg	KORbin	M	Fl	Blanc	P
Jacqueline du Pré	HARwanna	M	A	Blanc	PP
Kordes' Robusta*	KORgosa	G	A	Cramoisi	P
Korresia*	KORresia	C	Fl	Jaune vif	PPP
L.D. Braithwaite	AUScrim	M	A	Cramoisi foncé	PPP
Little Bo-Peep	POULlen	C	Min	Rosé	PP
Mary Rose*	AUSmary	M	A	Rose	PP
Playtime*	KORsaku	C	CS	Rose	P
Pyrénées*	POULcov	C	CS/A	Blanc	P
Romantic Hedgerose	KORworm	M	Fl	Rose	P
*R. glauca**		G	A	Rose	P
R. rugosa 'Alba'		M	A	Blanc	PPP
R. rugosa 'Rubra'		M	A	Rose	PPP
Rose De Rescht*		C	A	Fuchsia	PPP
The Fairy*		C	CS/A	Rose tendre	
The Pilgrim*	AUSwalker	M	A	Citron clair	PPP
The Times*	KORpeahn	C	Fl	Cramoisi foncé	P
Vent d'Été*	KORlanum	M	CS	Rose tendre	P
Winchester Cathedral	AUScat	M	A	Blanc	PP

ROSIERS GRIMPANTS POUR MURS ET TREILLAGES, PYLÔNES, PERGOLAS ET ARCEAUX

(Tous ces rosiers acceptent une exposition Nord ou Est)

Nom	Code	Hauteur	Couleur	Parfum
Agatha Christie*	KORmeita	T	Rose tendre	PP
Altissimo*	DELmar	TP	Cramoisi	P
Bantry Bay		TPA	Rose tendre	P
Compassion*		TPA	Rose teinté d'abricot	PPP
Danse du Feu*		T	Rouge cinabre	P
Dreaming Spires*		TP	Jaune d'or	PPP
Golden Showers		TPA	Jaune clair	P
Graham Thomas*	AUSmas	TP	Jaune d'or	PPP
Grand Hotel*		TPA	Cramoisi vif	P
Handel*	MACha	TPA	Blanc ombré de rose	P
Joseph's Coat*		P	Jaune/orange	P
Laura Ford*	CHEWarvel	TPA	Jaune d'or	PP
Little Rambler*	CHEWramb	PA	Rosé	PPP
Mermaid*		T	Jaune primevère	PP
Madame Alfred Carrière*		T	Blanc perle	PPP
New Dawn		TPA	Rose chair	PP
Nice Day*	CHEWsea	TPA	Saumon	PPP
Open Arms	CHEWpixcel	PA	Rose clair	P
Penny Lane*	HARdwell	TPA	Champagne	PP
Summer Wine*	KORizont	TA	Corail	PPP
Sunrise*	KORmarter	PA	Jaune et orange	PPP
Swan Lake*		TPA	Rosé	PP
Sympathie		TPA	Écarlate	P
Tradition*	KORkettin	TPA	Cramoisi	PP
Warm Welcome*	CHEWizz	PA	Orange-vermillon	PP
White Cloud	KORstacha	T	Crème	PPP

Les rosiers par couleurs

La liste ci-dessous vous aidera à faire vos choix, une fois votre thème coloré établi. Vous pourrez l'utiliser pour un massif exclusivement composé de rosiers, afin d'éviter que des coloris se heurtent – sauf si c'est ce que vous recherchez – ou pour des associations (voir pages 46-49).

Vermillon et écarlate

Massifs Alexander, Bolchoï, Cleopatra, Fellowship, Fragrant Cloud, Matthias Meilland, Trumpeter, St. Boniface, Top Marks

Grimpants Climbing Orange Sunblaze, Danse du Feu, Sympathie

Orange et jaune

Massifs Amber Queen, Belle Époque, Dawn Chorus, Fellowship, Freedom, Irish Eyes, Jean Giono, Just Joey, Korresia, La Passionata, Mandarin, Molineux, Paul Ricard, Président Armand Zinsch, Remember Me, Selfridges, Tequila Sunrise

Potées Bordure d'Or, Gwent, Irish Eyes, Mandarin

Bordures Bordure d'Or, Brocéliande, Golden Celebration, Golden Wings, Graham Thomas, Gwent, Méli-Mélo, Molineux, Oranges and Lemons, Mme A. Meilland, Paul Ricard, Président Armand Zinsch, Selfridges

Grimpants Dreaming Spires, Dune, Golden Celebration, Golden Showers, Graham Thomas, Joseph's Coat, Laura Ford, Opaline, Sunrise, Warm Welcome

Jaune et or

Massifs Amber Queen, Bordure d'Or, Elina, Freedom, Gwent, Just Joey, Korresia, Molineux, Paul Ricard, Président Armand Zinsch, Selfridges

Potées Bordure d'Or, Gwent, Worcestershire

Bordures Golden Celebration, Golden Wings, Graham Thomas, Madame A. Meilland, Molineux, Paul Ricard, Président Armand Zinsch, Selfridges, The Pilgrim, Worcestershire

Grimpants Dreaming Spires, Dune, Golden Celebration, Golden Showers, Graham Thomas, Laura Ford, The Pilgrim

Abricot et or

Massifs Belle Époque, Crystal Palace, Dawn Chorus, Elina, English Garden, Evelyn, Jean Giono, Just Joey, Sunset Boulevard, Sweet Dream

Bordures Buff Beauty

Pêche et crème

Massifs Crystal Palace, Elina, English Garden, Evelyn, Paul Shirville, Sunset Boulevard, Sweet Dream

Bordures English Garden, Evelyn, Sally Holmes

Grimpants Penny Lane, Compassion, Schoolgirl

Blanc

Massifs Avon, Elina, Iceberg, Ice Cream, Opalia, Pyrénées, Tumbling Waters, White Pet

Bordures Iceberg, Jacqueline du Pré, Opalia, Pyrénées, Winchester Cathedral, *R. rugosa* 'Alba'

Potées Avon, Little White Pet, Opalia, Pyrénées, Tumbling Waters

Grimpants Little Rambler, Narrow Water, Penny Lane, White Cloud, Swan Lake

Blanc et rose

Massifs Anna Livia, Avon, Betty Boop, Congratulations, Geoff Hamilton, Hannah Gordon, Iceberg, Many Happy Returns, Opalia, Paris 2000, Playtime, Queen Mother, Silver Jubilee, The Fairy, Winchester Cathedral

Bordures Ballerina, Comte de Chambord, Congratulations, Felicia, Geoff Hamilton, Heritage, Playtime, St Tiggywinkle, Sharifa Asma, Tapis Volant, Winchester Cathedral, Frau Dagmar Hastrup, R. rugosa 'Alba', *R. rugosa* 'Rubra'

Potées Avon, Little Bo-Peep, Opalia, Pink Hit, Queen Mother, The Fairy

Grimpants Agatha Christie, Bantry Bay, Compassion, Graham Thomas, Handel, Little Rambler, Narrow Water, Nice Day, Open Arms, Penny Lane, Swan Lake, New Dawn, Zéphirine Drouhin

Tons rosés

Massifs Anadia, Anna Livia, Ballerina, Castor, Comte de Chambord, Congratulations, Emera, Fascination, Marie Curie, Geoff Hamilton, L'Aimant, Many Happy Returns, Mary Rose, Oxfordshire, Paris 2000, Playtime, Queen Mother, Silver Jubilee, The Fairy, Vésuvia, Wiltshire

Bordures Ballerina, Berkshire, Castor, Comte de Chambord, Congratulations, Cornelia, Emera, Felicia, Frau Dagmar Hastrup, Fuchsia Meillandécor, Geoff Hamilton, Gertrude Jekyll, Jacques Cartier, Mary Rose, Oxfordshire, Sharifa Asma, The Fairy, Vent d'Été, Wiltshire, *R. rugosa* 'Rubra'

Grimpants Agatha Christie, Arielle Dombasle, Bantry Bay, Compassion, Nice Day, Open Arms, Summer Wine, New Dawn, Zéphirine Drouhin

Rose et rouge

Massifs Anadia, Anna Livia, Berkshire, Congratulations, Emera, Festival, Florian, Fuchsia Meillandécor, Ingrid Bergman, Intrigue, L'Aimant, Mary Rose, Matthias Meilland, Paris 2000, Prestige de Bellegarde, Royal William, The Times, Trumpeter, Vent d'Été, Victor Hugo, Wiltshire

Bordures Anadia, Berkshire, Charles Notcutt, Cornelia, Felicia, Fuchsia Meillandécor, Kordes' Robusta, Mary Rose, Vent d'Été, Wiltshire

Grimpants Agatha Christie, Altissimo, Bantry Bay, Grand Hôtel, Messire Delbard, Sympathie, Tradition, Red Parfum, Zéphirine Drouhin

Cramoisi

Massifs Festival, Fairy Damsel, Ingrid Bergman, Intrigue, Lancashire, Prestige de Bellegarde, Royal William, Suffolk, The Times, Victor Hugo

Bordures Charles Notcutt, L.D. Braithwaite, Fairy Damsel, Kordes' Robusta, Lancashire, Rose De Rescht, Suffolk

Grimpants Altissimo, Grand Hotel, Messire Delbard, Red Parfum, Sympathie, Tradition

Adresses utiles

De nombreuses jardineries proposent un bon choix de rosiers. Si vous n'y trouvez pas ce que vous désirez, adressez-vous à la Société française des roses, qui sera certainement à même de vous indiquer de bons fournisseurs. Beaucoup de Jardineries vous proposeront de commander la variété qui vous intéresse.

Si vous êtes anglophone, pour des renseignements très particuliers, vous pouvez vous adresser à la Royal national rose society, autorité mondiale en la matière (voir ci-dessous). Mais son homologue française, citée ci-dessus, permet déjà d'accéder à l'essentiel. Un contact avec ces sociétés vous permettra d'en savoir plus sur leurs activités.

The Royal National Rose Society
Chiswell Green, St. Albans,
Herts AL2 3NR
01727 850461
mail@rnrs.org.uk

Société nationale d'horticulture de France (SNHF)
Section Roses
84, rue de Grenelle
75007, Paris
Tél. 01 44 39 78 78

David Austin (Vente en France)
David Austin Roses Ltd
Bowling Green Lane, Albrighton,
Shropshire WV73 HB
Tél. 00 44 1902 376 300

Les Roses anciennes d'André Ève
Morailles
BP 206
45302 Pithiviers Cedex
Tél. 02 38 30 01 30

Meilland-Richardier
BP 2
69815 Tassin-la-Demi-Lune Cedex
Tél. 04 78 34 46 52

Delbard
16, Quai de la Mégisserie
75054 Paris Cedex 01
Tél. 0820 310 345

Roseraie de Berty
07110 Largentière
Tél. 04 75 88 30 56

Roses d'Antan
Kermunut
22200 Grâces
Tél. 02 96 44 41 10

Roseraie Sauvageot
25220 Vaire-Arcier
Tél. 03 81 57 00 26

Roses Anciennes Pierre Guillot
Domaine de la Plaine
Chamagnieu
38460 Crémieu
Tél. 04 74 90 27 55

Roseraie Laperrière
RN 6
38070 Saint-Quentin-Fallavier
Tél. 04 74 94 04 36

Le Jardin d'Athéna
11, rue du Landreau
44300 Nantes
Tél. 02 40 93 06 48

Pépinières Brochet-Lanvin
La Presle
51480 Nanteuil-la-Forêt

Pépinière des Farguettes
Les Farguettes
24520 Saint Nexans
Tél. 05 53 24 37 54

Verdia
5, rue Guy Môquet
BP 44
91401 Orsay Cedex
Tél. 01 69 28 02 52

Index des variétés de roses

Les numéros de pages en **gras** renvoient aux illustrations

Index

Les numéros de pages en **gras** renvoient aux illustrations

Remerciements de l'auteur

Mark Mattock remercie tout particulièrement la société Mattock Roses, filiale de Notcutts, pour avoir fourni de si éclatants spécimens de roses ; Linda Burgess, photographe, dont le style personnel donne à ce livre toute son originalité ; Finest English Conservatories, et ses jardins – notamment Notcutts Garden Centre –, où ont été prises les photographies ; James Mattock et Debbie Godfrey pour leur aide précieuse ; Angela Pawsey (éditrice de *Find that Rose*) et Ken Grapes (Directeur général de la Royal National Rose Society), dont l'intérêt et l'enthousiasme ont facilité l'écriture de ce livre. Un grand merci enfin à toute l'équipe de Quadrille pour sa collaboration à cet ouvrage.

Crédits photographiques

Pages 2 Le Scanff-Mayer (Pépinère Delbard à Malicorne); 6 A bouquet of Roses by Eugene Henri Cauchois (1850-1911) Private Collection/Bridgeman Art Library; 9 Royal Horticultural Society, Lindley Library; 10 Adelia aurclianensis, engraved by Victor, from 'Choix des Plus Belles Fleurs', 1827 (coloured engraving) by Pierre Joseph Redoute (1759-1840) (after) Private Collection /Bridgeman Art Library; 12 Royal Horticultural Society, Lindley Library; 15 The Art Archive/Victoria & Albert Museum, London; 18 Simon McBride/Interior Archive (Garden: Jan Morgan); 20 Jerry Harpur (Designer: Diana Ross, London); 21 Jerry Harpur (Designer: Lisette Pleasance, London); 22 left Saxon Holt; 22-23 centre Simon McBride/Interior Archive (Garden: Hawkes); 23 above right John Glover; 24 left Andrew Lawson; 24-25 Andrew Lawson (Designer: Penelope Hobhouse); 26 left Nicola Browne (Designer: Gilles Clement); 26-27 Brigitte Thomas/GPL; 28 left Marcus Harpur (The Vine, Essex); 28 right Clive Nichols (Designer: Roger Platts); 29 Andrew Lawson (Designer: Wendy Lauderdale); 30 Le Scanff-Mayer (Le Jardin d'Anne-Marie (91) Lardy, France); 31 John Glover; 32 left Nicola Browne; 32 right Densey Clyne/GPL; 33 Clive Nichols (Meadow Plants, Berks); 34 left John Glover; 34-35 Ron Sutherland/GPL; 36 Jerry Harpur (Designer: Diana Ross, London); 37 Saxon Holt; 38 Clive Nichols (Designer: Sarah Raven – Daily Telegraph/American Express Garden, Chelsea Flower Show 1998); 39 Clive Nichols (Lower Hall, Shrops); 40 Marcus Harpur (Designer: Penelope Hobhouse); 41 Andrew Lawson; 42-43 Jerry Harpur (Designers: Janowski & Tokstad, San Francisco, CA); 44 Andrew Lawson (Designer: Penelope Hobhouse); 45 John Glover (Chelsea Flower Show, 1994); 46-47 Dency Kane (Designer: Brooks Garcia); 48 John Glover (Parham Park); 49 above Le Scanff-Mayer (Pépinère Delbard à Malicorne); 49 below Karen Bussolini; 148-149 Simon McBride/Interior Archive (Garden: Jan Morgan); 152-153 S&O Mathews; 156-157 S&O Mathews; 158 Le Scanff-Mayer (Jardin de Guy Thenot).

Toutes les autres photographies ont été prises par Linda Burgess pour Quadrille Publishing Limited.